세종 한국어

더하기 활동

4B

발간사

최근 전 세계인이 접하는 한류 콘텐츠의 규모가 늘어나면서 한류 문화가 확산되고 있고, 그 결과로 한국어를 배우고자 하는 외국인 학습자의 기세가 매우 놀랍습니다. 세계 곳곳이 코로나19로 침체기를 겪던 2021년에도 한국어능력시험 응시자는 30만 명을 훌쩍 넘었으며, 문화체육관광부의 세종학당은 2007년 13곳에서 2022년에는 84개국 244개소로 증가하였습니다. 이러한 한류의 지속적인 확산을 뒷받침하기 위해서는 한국어교육의 탄탄한 지원이 필요합니다.

한류 콘텐츠와 함께 성장하는 한국어교육의 토대를 다지기 위해, 문화체육관광부와 국립국어원은 2011년 처음 발간된 《세종한국어》를 새로 다듬기로 하였습니다. 2019년부터 기초 연구를 시작한 교재 개정 작업은 3년의 시간을 들여, 2022년 드디어 새로운 《세종한국어》를 펴내게 되었고, 이를 세종학당재단과 함께 알리게 되었습니다.

새롭게 개정된 《세종한국어》는 첫째, 세종학당 곳곳에서 한국어를 배우고자 하는 열의로 가득 찬 외국인 학습자 중심의 교재를 지향하였습니다. 둘째, 현지 세종학당의 학습 환경에 따라 유연하게 활용할 수 있는 맞춤형 교재로 정비되었습니다. 셋째, 한류 콘텐츠에 대한 외국인들의 관심을 내용에 반영함으로써, 한국어 공부에 대한 학습자의 부담을 낮췄습니다. 마지막으로 세종학당을 대표하는 표준 교재로서 구심점 역할을 담당하고, 이후의 한국어 학습을 위한 연계성도 잘 갖추었습니다.

세종학당은 한국어와 한국 문화로 한국과 세계를 연결하는 대한민국 대표의 국외 한국어교육 기관입니다. 국립국어원과 문화체육관광부는 앞으로도 세종학당재단과 협력하여 전 세계에서 한국어를 사랑하는 이들이 꿈을 이룰 수 있도록 지속적인 노력과 지원을 아끼지 않겠습니다.

끝으로 교재 개발을 위해 최선의 노력을 기울여 주신 연구·집필진과 출판사 관계자분들께 진심으로 감사의 말씀을 드립니다. 《세종한국어》의 새로운 출발과 함께 문화체육관광부와 국립국어원, 세종학당재단이 세계로 더 나아갈 수 있도록 여러분의 따뜻한 관심 부탁드립니다.

2022년 8월

국립국어원장 장소원

머리말

세종학당은 한국과 전 세계를 연결하는 한국어·한국 문화 보급 기관입니다. 이번에 개발한 교재는 상호 문화주의에 기반하여 한국어 학습에 대한 학습자의 흥미를 증진함으로써 한국어 의사소통 능력을 향상시키는 것을 목표로 하였습니다. 이를 위해 최근 한국의 상황을 적극적으로 반영하였고 최신 교수법을 구현할 수 있는 새로운 구성과 디자인을 적용하였습니다. 이를 통해 국외 한국어교육의 방향성을 새롭게 제시하고자 하였습니다. 개정 《세종한국어》의 구체적 특징은 다음과 같습니다.

첫째, 세종학당의 표준 교육과정인 가형, 나형, 다형 전 과정에 탄력적으로 활용할 수 있도록 '기본 교재'와 '더하기 활동 교재'로 구분하였습니다. '기본 교재'에는 해당 등급에 필요한 핵심적인 내용을 담았으며, '더하기 활동 교재'에는 심화·확장이 필요한 언어 지식과 의사소통 활동을 담았습니다. 이를 통해 다양한 학습자 특성에 맞게 교재를 선택하여 사용할 수 있도록 하였습니다.

둘째, 효과적 교수·학습을 위해 단계별로 단원 구성을 차별화하였으며 학습 내용 또한 언어 발달 단계에 맞는 교수 학습 내용과 절차를 적용하였습니다. 특히 다양한 삽화와 시각적 자료를 적극적으로 제시하여 한국어 학습의 흥미를 극대화할 수 있도록 노력하였습니다.

셋째, 교재 전반에 생생한 한국 문화 내용을 배치하여 학습자들이 상호 문화적 관점에서 한국 문화를 이해하고, 궁극적으로는 자국의 문화와 한국 문화에 대한 바른 태도를 형성할 수 있도록 하였습니다.

넷째, 교재와 함께 '익힘책', '교사용 지도서', '어휘·표현과 문법', 수업용 PPT와 같은 보조 자료들을 개발하여 교사·학습자의 요구에 맞게 교재를 활용할 수 있도록 하였습니다.

이 교재를 기획하고 개발하는 모든 과정에 함께해 주신 국립국어원과 현지 학당과의 협조와 지원을 아끼지 않으신 세종학당재단, 그리고 학습자들이 재미있게 한국어를 배울 수 있도록 멋지게 디자인해 주신 공앤박출판사에 감사의 마음을 전하고 싶습니다. 끝으로 3년이라는 긴 시간 동안 오로지 한국어교육에 대한 열정으로 좋은 교재를 만들어 내기 위해 애써 주신 모든 집필진께 말로는 다할 수 없는 깊은 감사의 마음을 전합니다.

2022년 8월

저자 대표 이정희

차례

-는/(으)ㄴ 데다가 앞의 내용에 뒤의 내용이 덧붙여짐을 나타낸다.

1. '-는/(으)ㄴ 데다가'를 사용해서 문장을 만들어서 말해 보십시오.

1) 아침을 든든하게 먹다 •	• 간식까지 먹다
2) 이야기가 재미있다 •	• 버스까지 놓치다
3) 매일 조깅을 하다 •	• 주말마다 등산을 하다
4) 늦잠을 자다 •	• 밖에서 공사를 하다
5) 아이가 울다 •	• 배우들의 연기까지 훌륭하다

아침을 든든하게 먹은 데다가 간식까지 먹어서 아직 배가 안 고프네요.

2. 다음에서 알맞은 것을 골라 '-는/(으)ㄴ 데다가'를 사용해서 문장을 완성해 보십시오.

성격이 활발하다	열이 많이 나다	집값이 저렴하다	배려심이 많다	학교를 함께 다니다
디자인이 세련되다	지금도 자주 만나다	교통이 편리하다	편리한 기능이 많다	두통이 심하다

나는 그 친구와 학교를 함께 다닌 데다가 지금도 자주 만나기 때문에 그 친구에 대해서 잘 안다.

1) 그 친구는 .... 많은 사람들이 좋아한다.

2) 우리 동네는 .... 살기 좋다.

3) 이 세탁기는 .... 인기가 많다.

4) .... 집에서 쉬었다.

3. '-는/(으)ㄴ 데다가'를 사용해서 이야기해 보십시오.

제 동생은 저와 생각이 비슷한 데다가 저에 대해서 잘 알고 있기 때문에 이야기가 잘 통해요.

1) 나의 가족　　2) 내가 가지고 있는 물건　　3) 내가 살고 있는 동네　　4) 내가 자주 가는 장소

-든지 어떤 것을 선택해도 차이가 없다는 것을 나타낼 때 쓴다. '-든'이라고도 할 수 있다.

1. 다음과 같이 '-든지'를 사용해서 질문에 대답해 보십시오.

회의를 화요일 오전에 할까요? 아니면 오후에 할까요?

저는 오전이든지 오후든지 상관없어요.

1) 여기에서 이야기할까요? 아니면 다른 곳으로 옮겨서 얘기할까요? → .

2) 이번 휴가 때 여행을 갈까요? 아니면 집에서 쉴까요? → .

3) 이 내용을 회원들에게 이메일로 알릴까요? 아니면 문자로 보낼까요?

→ .

4) 서류를 낼 때 직접 방문해야 해요? 아니면 우편으로 보내야 해요?

→ .

5) 여기에 소고기를 넣어야 해요? 아니면 돼지고기를 넣어야 해요?

→ .

2. '-든지'를 사용해서 문장을 만들어 보십시오.

어디, 가다, 하루만이라도, 여행, 갔다 오면 좋겠다
→ 어디를 가든지 하루만이라도 여행을 갔다 오면 좋겠다.

1) 그 사람, 누구, 만나다, 나와 관계없다 → .

2) 어디, 일하다, 인터넷, 소통이 되다, 시대이다 → .

3) 일기를 쓰다, 음악을 듣다, 저녁, 자기만의 시간, 갖다

→ .

4) 드라마를 보다, 라디오를 듣다, 한국어를 많이 듣다, 실력이 좋아지다

→ .

3. 다음 빈칸에 '-든지'를 사용해서 알맞은 말을 써 보십시오.

그해 봄에 나는 마음이 많이 지친 상태였다. 나에게는 여행이 필요했다. 내 머릿속에는 떠나고 싶다는 생각밖에는 없었다. 떠날 수 있다면 1) ______ 괜찮았다. 여행 장소를 검색하다가 찾은 곳은 바로 제주도였다. 제주도에 가면 '올레길'이라는 걷기 길이 있다. 바로 비행기를 예약했다. 그렇게 나는 제주도에 갔다.

제주도는 어디를 2) ______ 아름다웠다. 나는 혼자 올레길을 걸었다. 올레길을 걸으면서 생각을 정리할 수 있었다. 여행을 마치고 나니 무슨 일을 3) ______ 다 잘할 수 있을 것 같았다. 그리고 어떤 일이 4) ______ 다 잘 해결할 수 있을 것 같았다.

1. 다음에서 알맞은 말을 골라 다음과 같이 말해 보십시오.

자신감이 있다	소극적이다	유머 감각이 있다	유머 감각이 없다
책임감이 있다	책임감이 없다	급하다	느긋하다

그 사람은 뭐든지 빨리빨리 하려고 해요. → 그 사람은 성격이 급해요.

1) 그 사람은 웃긴 농담이나 재미있는 이야기를 잘해요.

→ ______________________.

2) 그 사람은 어떤 일을 천천히 하는 편이에요.

→ ______________________.

3) 그 사람은 자신의 의견을 잘 표현하지 않는 편이에요.

→ ______________________.

4) 그 사람은 자신이 맡은 일을 열심히 하지 않아요.

→ ______________________.

2. 다음과 같이 문장을 완성해서 말해 보십시오.

1) 저는 항상 일을 급하게 하는 바람에 실수가 많은 편이에요.

2) 저희 회사는 ______________ 을/를 가지고 성실하게 일할 사람을 찾고 있습니다.

3) 준비는 완벽해. 이제 ______________ 을/를 가지고 실행에 옮기기만 하면 돼.

4) 어떻게 저렇게 재미있게 말할 수 있을까? 미라 씨 ______________ 은/는 따라갈 수가 없어.

5) 면접 시간을 지키지 않으면 ______________ 보일 수 있어요.

3. 여러분 주변 사람들의 성격은 여러분하고 같습니까, 다릅니까? 어떤 점이 같고 어떤 점이 다릅니까? 배운 어휘를 사용해서 이야기해 보십시오.

저는 부끄러움을 많이 타는데 제 친구는 자신감이 있고 적극적인 편이에요. 그래서 발표 같은 것을 할 때 저는 주로 자료를 모으고 조사하는 역할을 하고 제 친구는 사람들 앞에서 그것을 발표하는 역할을 해요.

1. 다음을 읽고 질문에 답하십시오.

1) 여러분이 좋아하는 색을 골라 보십시오.

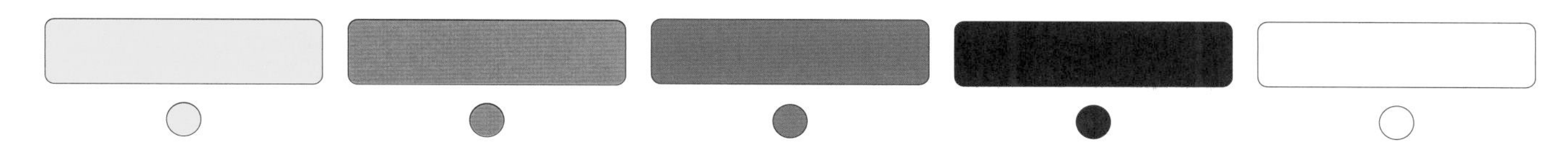

2) 성격 테스트 결과를 읽어 보십시오.

노란색을 선택한 당신은 …

밝고 즐거운 분위기를 좋아하는 긍정적인 성격이다. 또한 분명한 것을 좋아하기 때문에 궁금한 것이 있으면 깊이 파헤치는 지적인 성격이다.

빨간색을 선택한 당신은 …

외향적인 성격이며, 앞에 나서서 다른 사람들을 이끌거나 다른 사람의 관심을 받는 것을 좋아하는 자신감 있는 성격이다. 또한 적극적으로 도전하는 것을 좋아한다.

파란색을 선택한 당신은 …

어떤 일에 대해서 깊이 생각하고 결정하는 성격이다. 흥분되는 분위기에서도 이성적으로 행동한다.

검정색을 선택한 당신은 …

창의력이 풍부한 편이다. 혼자 있는 것을 좋아하고 내성적인 편이다. 사람들과 함께 있을 때에는 말을 하는 것보다는 말을 들어주는 편이다.

하얀색을 선택한 당신은 …

항상 바른 행동을 하기 위해 노력하는 성실하고 책임감 있는 사람이다. 다른 사람들을 먼저 생각하고 이해하려고 한다.

3) 위에서 이야기한 성격의 특징을 정리해 보십시오.

색	특징
노란색을 선택한 사람	
빨간색을 선택한 사람	
파란색을 선택한 사람	
검은색을 선택한 사람	
하얀색을 선택한 사람	

2. 위의 성격 테스트 결과에 대해 이야기해 봅시다.

1) 여러분의 성격이 잘 설명되어 있습니까?

2) 어떤 점이 맞습니까? 그리고 어떤 점이 다릅니까?

3) 만약 다르다면 여러분의 성격을 가장 잘 설명하는 색깔은 무슨 색입니까?

1. 다음 대화를 잘 듣고 질문에 답하십시오.

01

1) 진호 씨는 성격이 어떻습니까? 그리고 진호 씨 친구의 성격은 어떻습니까?

2) 들은 내용과 다른 것은 무엇입니까?

① 진호 씨는 고등학교 친구와 같이 살고 있다.

② 진호 씨와 친구는 같이 산 지 5년 정도 되었다.

③ 진호 씨는 친구와 같이 살면서 다툰 적이 없다.

④ 진호 씨는 친구와 서로 이해하며 잘 지내고 있다.

2. 여러분이 소개하고 싶은 사람이 있습니까? 그 사람을 소개하는 글을 써 보십시오.

1) 그 사람은 누구입니까?

2) 여러분과 어떤 관계입니까?

3) 그 사람의 성격은 어떻습니까?

4) 여러분은 그 사람을 어떻게 생각합니까?

간단하게 알아보는 심리 검사

'나'는 어떤 사람일까? 나도 잘 모르는 '나'. 간단한 심리 검사를 통해 '나'를 볼 수 있다. 결과는 믿거나 말거나.

이 동그라미를 보면 무엇이 떠오릅니까?

얼굴을 떠올렸다면

당신은 외로움을 잘 느끼는 사람입니다. 친구들을 많이 만들려고 노력하면서 좋은 관계를 유지하고 싶어 합니다.

거울을 떠올렸다면

당신은 자신을 자주 돌아보는 사람입니다. 다른 사람들이 당신을 어떻게 생각하는지를 많이 신경 쓰는 편입니다.

해, 달, 꽃, 과일 등의 자연을 떠올렸다면

당신은 꿈이 크고 하고 싶은 것도 많고 이것저것 알고 싶은 것이 많은 사람입니다. 꿈이 큰 만큼 자신의 현재에 대해서 불만을 가지는 경우도 많습니다.

바퀴를 떠올렸다면

늘 자기 개발과 발전을 위해 노력하는 사람입니다. 그래서 항상 미래를 위해서 노력하는 성실한 사람이라는 평가를 많이 받습니다.

둥근 탁자를 떠올렸다면

당신은 인간관계를 무척 소중하게 생각하는 사람입니다. 다른 사람들과 화합하고 평등한 관계를 만들려고 노력하는 사람입니다. 주변 사람들은 당신에게 따뜻함을 느낍니다.

-는/(으)ㄴ/(으)ㄹ 줄 알다 앞 내용을 예상 또는 기대했지만 실제로 그렇지 않을 때 사용한다.

1. '-는/(으)ㄴ/(으)ㄹ 줄 알다'를 사용해서 대화를 완성해 보십시오.

저 다음 주에 고향에 돌아가요.

그래요? 저는 마리 씨가 계속 여기에서 살 줄 알았어요.

1) 가: 이거 한번 먹어 보세요.
   나: 맵지 않고 맛있네요. 저는 빨간색이라서 ______________________.

2) 가: 왜 우산을 가지고 가요? 이제 비가 그쳤어요.
   나: 그러네요. 저는 아직도 비가 ______________________.

3) 가: 저는 처음에 안나 씨 성격이 ______________________. 그런데 정말 따뜻한 사람이네요.
   나: 처음 만난 사람 앞에서 잘 웃지 못해서 다들 차가운 사람이라고 생각하더라고요.

4) 가: 어디에 가요?
   나: 집에 가요. 휴대폰을 가지고 ______________________ 안 가져왔더라고요.

2. '-는/(으)ㄴ/(으)ㄹ 줄 알다'와 '-는/(으)ㄴ/(으)ㄹ 줄 모르다'를 사용해서 문장을 바꿔 보십시오.

재민 씨가 일본 사람이라고 생각했다. 하지만 한국 사람이었다.
→ 나는 재민 씨가 한국 사람인 줄 몰랐다. 일본 사람인 줄 알았다.

1) 다음 주에 회의가 없다고 생각했다. 하지만 중요한 회의가 예정되어 있다.
   → ______________________.

2) 한국 음식은 모두 맵다고 생각했다. 하지만 맵지 않은 한국 음식도 있었다.
   → ______________________.

3) 안나 씨가 결혼을 했을 거라고 생각했다. 하지만 안나 씨는 결혼하지 않았다.
   → ______________________.

4) 빨간색 옷이 저한테 안 어울린다고 생각했어요. 하지만 입어 보니까 빨간색 옷이 저한테 잘 어울려요.
   → ______________________.

3. '-는/(으)ㄴ/(으)ㄹ 줄 알다'와 '-는/(으)ㄴ/(으)ㄹ 줄 모르다'를 사용해서 한국에 대한 첫인상을 이야기해 보십시오.

처음에는 한국어가 어려운 줄 알았어요. 받침을 쓰는 것이 복잡해서 어렵다고 생각했는데 지금은 어렵지 않아요. 재미있어요.

-던 말하는 사람이 회상하는 과거의 상황으로 뒤의 대상을 수식할 때 쓴다.

1. '-던'을 사용해서 대화를 완성해 보십시오.

옷 예쁘네요. 새로 샀어요?

아니요. 언니가 입던 옷인데 작아져서 줬어요.

1) 가: 이 책은 무슨 책이에요?

나: 어렸을 때 항상 자기 전에 ________ 책이에요.

2) 가: 김밥을 좋아하세요?

나: 네. 한국에서 공부할 때 자주 ________ 음식이에요.

3) 가: 이 커피 마셔도 돼요?

나: 그건 제가 ________ 커피예요. 커피를 새로 드릴게요.

4) 가: 여기가 유진 씨가 예전에 ________ 곳이에요?

나: 네. 여기에서 중학생 때까지 살았었어요.

2. 다음에서 알맞은 말을 골라 '-던'을 사용해서 문장을 완성해 보십시오.

표정이 어둡다	공부를 열심히 하다	노래를 잘 부르다	친구가 많다

1) 외향적인 성격으로 인해 항상 ________ 그는 정치인이 되었다.

2) 중간고사를 못 봐서 ________ 철수는 기말고사를 잘 본 후 표정이 밝아졌다.

3) 항상 도서관에서 ________ 그녀는 좋은 회사에 들어갔다.

4) 학교 다닐 때 ________ 지은이는 가수가 되었다.

3. 여러분의 어린 시절이나 학창 시절에 대해 '-던'을 사용해서 이야기해 보십시오.

어렸을 때 제가 살던 집은 바닷가 근처에 있었어요.

1) 집 2) 노래 3) 취미 4) 놀이

1. 다음에서 알맞은 말을 골라 그림 속 인물의 성격을 말해 보십시오.

밝다	사교적이다	날카롭다	낯을 가리다

활짝 웃고 있는 것을 보니 그녀는 밝은 성격인가 봐요.

1) 

2) 

3) 

2. 다음에서 알맞은 말을 골라 문장을 완성해 보십시오.

자신감이 넘치다	고집이 세다	낯을 가리지 않다	표정이 밝다

1) 유진은 ______________________ 처음 만나는 사람들에게 인상이 좋다는 칭찬을 자주 듣는다.

2) 그는 ______________________ 다른 사람의 의견을 잘 들으려고 하지 않는다.

3) 그 선수는 항상 경기가 시작하기 전에 ______________________ 모습을 보여 준다.

4) 안나는 ______________________ 편이어서 새로운 사람 만나는 것을 좋아한다.

3. 여러분이 배운 표현을 두 개 이상 활용해서 자신의 성격을 소개해 보십시오.

저는 낯을 가리는 성격이에요. 그래서 새로운 사람을 만나는 것이 어려워요. 새로운 사람을 만나면 긴장을 해서 잘 웃지 않고 어두운 표정으로 있으니까 사람들이 무섭다고 할 때도 있어요.

1. 다음 방송을 잘 듣고 질문에 답하십시오.

1) 무엇에 대해 이야기하고 있습니까?

① 면접의 중요성

② 면접을 위한 옷차림

③ 면접에서 주의할 점

④ 밝은 표정이 만드는 면접 분위기

2) 면접에서 주의할 점을 정리해 보십시오.

표정	
걸음	
옷차림	

2. 여러분들은 면접 등에서 좋은 첫인상을 주기 위해 가장 중요한 것이 무엇이라고 생각합니까? 다음과 같이 이야기해 보십시오.

저는 말을 분명하게 잘하는 것이 제일 중요하다고 생각합니다. 말소리를 크게 하고, 정확한 발음으로 끝을 흐리지 않고 말하면 똑똑한 인상을 줄 수 있을 것 같습니다.

1. 다음 글을 읽고 질문에 답하십시오.

한 과학자가 재미있는 실험을 하였다. 그는 실험에 참가한 사람들에게 A라는 사람과 B라는 사람의 성격을 알려 주었다. A라는 사람의 성격은 "똑똑하다, 부지런하다, 고집이 세다, 질투심이 많다"라고 알려 주었고, B라는 사람의 성격은 "질투심이 많다, 고집이 세다, 부지런하다, 똑똑하다"라고 알려 주었다. 사실 A와 B의 성격은 ㉠ ______________________. 그리고 시간이 지난 후 A와 B에 대한 인상을 물어보았다. 그랬더니 사람들은 B보다 A에 대해서 더 좋은 인상을 느꼈다고 답했다고 한다. 이 실험은 처음 기억한 정보가 나중에 기억된 정보보다 더 큰 영향을 미친다는 것을 잘 보여 준다.

1) 윗글의 중심 내용으로 알맞은 것을 고르십시오.

① 좋은 인상을 주는 방법

② 다양한 사람들의 첫인상

③ 부정적인 첫인상의 특징

④ 정보 제시 순서와 기억의 관계

2) ㉠에 들어갈 알맞은 말을 고르십시오.

① 자신들의 성격을 표현한 것이다

② 모두 안 좋은 인상을 줄 수 있다

③ 순서만 바뀌었을 뿐 다르지 않다

④ 실험에 참가한 사람들이 알 수 없다

2. 지금 살고 있는 집, 공부하는 학교, 일하는 회사의 첫인상이 어땠습니까? 집, 학교, 회사 중 하나를 골라서 첫인상에 대해 써 보십시오.

1) 첫인상이 어땠습니까?

2) 첫인상의 이유는 무엇입니까?

3) 첫인상과 지금의 느낌이 같습니까, 다릅니까?

4) 그 이유는 무엇입니까?

띠와 성격

띠는 태어난 해를 상징하는 동물을 말하는 것으로, 모두 12개의 띠가 있습니다. 한국에서는 '쥐띠, 소띠, 호랑이띠, 토끼띠, 용띠, 뱀띠, 말띠, 양띠, 원숭이띠, 닭띠, 개띠, 돼지띠'가 있습니다. 전통문화에서는 이러한 띠와 사람의 성격을 연결해서 생각하기도 합니다.

여러분은 무슨 띠입니까? 여러분의 성격이 띠와 관련이 있는지 살펴봅시다.

	**1996년생, 1984년생, 1972년생, 1960년생** 쥐띠는 눈치가 빠르고, 사교적인 성격입니다. 영리하고, 상황 판단을 잘해서 어려운 일이 생기기 전에 미리 준비합니다.
	**1997년생, 1985년생, 1973년생, 1961년생** 소띠는 믿음직하고, 규칙을 잘 지키는 성격입니다. 마음이 좋아서 다른 사람의 말을 잘 들어주고, 불편한 점이 있어도 잘 참습니다.
	**1998년생, 1986년생, 1974년생, 1962년생** 호랑이띠는 자신감이 강하고, 하고 싶은 일을 꼭 해야 하는 성격입니다. 열정이 넘치며, 자신이 하고 싶은 일에 최선을 다합니다.
	**1999년생, 1987년생, 1975년생, 1963년생** 토끼띠는 마음이 따뜻하고, 내성적인 성격입니다. 하지만 어려운 일이 있어도 쉽게 포기하지 않으며, 끝까지 참고 버팁니다.
	**2000년생, 1988년생, 1976년생, 1964년생** 용띠는 외향적이고, 자신감이 강한 성격입니다. 그래서 활동적인 일들을 좋아하고, 큰 꿈을 꾸고 준비하는 경우가 많습니다.
	**2001년생, 1989년생, 1977년생, 1965년생** 뱀띠는 겸손하며, 결단력이 강한 성격입니다. 또한 자신이 원하는 것을 얻기 위해 수단과 방법을 가리지 않습니다.
	**2002년생, 1990년생, 1978년생, 1966년생** 말띠는 솔직하고, 유쾌한 성격입니다. 재미있는 이야기를 잘해서 인기가 많으며, 목표를 향해 끝까지 달려가는 성향을 가지고 있습니다.
	**2003년생, 1991년생, 1979년생, 1967년생** 양띠는 착하고, 사교성이 좋은 성격입니다. 특히 다른 사람의 잘못을 쉽게 용서하고 이해해 줍니다.
	**2004년생, 1992년생, 1980년생, 1968년생** 원숭이띠는 좋고 싫음이 확실한 성격입니다. 또한 영리하고, 재주가 많아서 어려운 문제들을 잘 해결합니다.
	**2005년생, 1993년생, 1981년생, 1969년생** 닭띠는 꼼꼼하고, 자신감이 강한 성격입니다. 상황 판단 능력이 뛰어나고, 미래에 대한 강한 확신을 가지고 살아갑니다.
	**2006년생, 1994년생, 1982년생, 1970년생** 개띠는 정직하고, 의리를 중요하게 생각하는 성격입니다. 상대방의 의견을 잘 들어주고, 다른 사람들과 잘 어울리는 사교적인 사람입니다.
	**2007년생, 1995년생, 1983년생, 1971년생** 돼지띠는 자상하고, 단순한 성격입니다. 몸이 건강하고 용감해서 주어진 일에 항상 최선을 다합니다.

-(으)ㄹ까 -(으)ㄹ까 판단을 확신하지 못하거나 행동을 결정하지 못하여 망설임을 나타낼 때 쓴다.

1. '-(으)ㄹ까 -(으)ㄹ까'를 사용해서 문장을 만들어서 말해 보십시오.

1) 전화를 해? •	• 문자를 보내?
2) 숙제를 지금 해? •	• 다른 집으로 이사 가?
3) 이 회사를 선택해? •	• 저 회사를 선택해?
4) 여기에서 계속 살아? •	• 이 사람과 결혼을 안 해?
5) 이 사람과 결혼을 해? •	• 오늘은 놀고 내일 해?

전화를 할까 문자를 보낼까 생각하고 있어요.

2. 상황에 맞는 말을 두 가지 골라 '-(으)ㄹ까 -(으)ㄹ까'를 사용해서 문장을 만들어 보십시오.

지금 아침 겸 점심을 먹다	휴가를 한번에 길게 쓰다
회사에서 가깝지만 작은 집으로 가다	이따가 점심을 먹다
휴가를 조금씩 자주 쓰다	회사에서 멀지만 넓은 집으로 가다
내가 아는 빠른 길로 가다	내비게이션을 따라서 가다

1) 주말이라서 아침에 늦게 일어났어요.

....

2) 차가 막히는 시간이에요.

....

3) 이사를 하려고 해요.

....

4) 회사에서 휴가를 쓰려고 해요.

....

3. 여러분은 다음의 상황에서 어떤 고민을 합니까? '-(으)ㄹ까 -(으)ㄹ까'를 사용해서 이야기해 보십시오.

1) 졸업이 다가올 때
2) 친구와 다퉜을 때
3) 여행지를 정할 때
4) 사귀고 싶은 사람이 생겼을 때

-지 그래요? 상대방에게 앞에 나오는 행동을 권유할 때 쓴다.

1. '-지 그래요?'를 사용해서 문장을 만들어 대화해 보십시오.

1) 항상 아침에 늦게 일어나다 •	• 밤에 좀 일찍 잠자리에 들다
2) 용돈을 너무 많이 쓰는 것 같다 •	• 직업 상담을 받아 보다
3) 어떤 일을 할지 잘 모르겠다 •	• 어디에 돈을 쓰는지를 매일 적어 보다
4) 한국어 실력이 좋아지지 않는다 •	• 부모님과 대화를 많이 해 보다
5) 부모님하고 의견이 너무 다르다 •	• 드라마나 영화로 공부해 보다

항상 아침에 늦게 일어나서 고민이에요.

그러면 밤에 좀 일찍 잠자리에 들지 그래요?

2. 다음의 고민을 가진 친구에게 어떻게 이야기해 줄 것인지 '-지 그래요?'를 사용해서 이야기해 보십시오.

요즘 밤에 잠이 너무 안 와서 고민이에요.

밤에 간단한 스트레칭을 해 보지 그래요?

1) 같이 일하는 동료와 잘 맞지 않는다. → ______________________________ ?

2) 전공에 흥미가 별로 없는 것 같다. → ______________________________ ?

3) 건강이 안 좋아지는 것 같다. → ______________________________ ?

4) 졸업 후에 무슨 일을 할지 모르겠다. → ______________________________ ?

3. 다음과 같은 친구의 고민에 대해 뭐라고 조언해 줄 수 있습니까? '-지 그래요?'를 사용해서 조언해 보십시오.

제가 좋아하는 사람이 있어요. 그 사람도 나를 좋아하는 것 같기도 하고, 아닌 것 같기도 하고. 어떻게 해야 할지 모르겠어요.

반려동물을 키우고 싶어요. 그런데 가족들이 싫어해요. 저는 반려동물을 잘 키울 자신이 있는데 어떻게 하면 될까요?

기숙사에서 같은 방을 쓰는 친구하고 너무 안 맞아요. 청소도 잘 안 하고, 방에서 전화를 너무 많이 해서 시끄럽고. 어떻게 하면 좋을까요?

지금 다니는 회사는 월급은 많지만 일이 너무 많아서 힘들어요. 스트레스를 너무 많이 받는데 계속 다녀야 할지 모르겠어요.

1. 고민의 종류에 따라 다음의 어휘를 분류해 보십시오.

진로를 정하지 못하다	연애를 하고 싶다	실력이 늘지 않다	경제적인 상황이 좋지 않다
업무량이 너무 많다	인간관계가 어렵다	미래가 불안하다	직장 생활이 맞지 않다

일/직업	공부	돈	사람
진로를 정하지 못하다			

2. 다음에서 알맞은 말을 골라 문장을 완성해서 말해 보십시오.

직장 생활이 맞지 않다 / 인간관계가 어렵다 / 업무량이 너무 많다 / 경제적인 상황이 좋지 않다 / 미래가 불안하다

저는 직장에 다니는 것을 좋아하지 않는 것 같아요.
→ 저는 직장 생활이 맞지 않는 것 같아요.

1) 회사에서 제가 해야 하는 일이 너무 많아요.
→ 회사에서 ....

2) 돈이 부족해서 여행을 미뤄야 할 것 같아요.
→ .... 여행을 미뤄야 할 것 같아요.

3) 누구나 가끔은 자신이 앞으로 어떻게 될지 걱정이 될 때가 있어요.
→ 누구나 가끔은 .... 때가 있어요.

4) 사람들과 잘 지내는 것은 언제나 어려워요.
→ .... 언제나 ....

3. 여러분도 1번에서 제시된 고민을 해 본 적이 있습니까? 그때 어떻게 고민을 해결했습니까? 배운 어휘를 사용해서 이야기해 보십시오.

저도 회사 생활을 처음 할 때 인간관계가 어려워서 고민한 적이 있었어요. 그때 저는 가족과 친구들에게 고민을 많이 털어놓았어요. 가족, 친구들과 얘기를 하면서 다른 사람들을 이해할 수 있었어요.

1. 다음 라디오 방송을 잘 듣고 질문에 답하십시오.

1) 빈칸에 알맞은 말을 넣어 문장을 완성해 보십시오.

유리 씨는 라디오 프로그램 〈 ______ 〉에 사연을 보내 ______ 에 대한 고민을 이야기하고 있다.

2) 들은 내용과 맞는 것을 고르십시오.

① 유리 씨와 남자 친구는 성격이 많이 다르다.

② 유리 씨는 남자 친구와 결혼을 원하지 않는다.

③ 유리 씨는 남자 친구와 사귄 것을 후회하고 있다.

④ 유리 씨는 남자 친구와 결혼에 대해 이야기하지 않는다.

2. 라디오에 보낼 고민 사연을 써 보십시오.

1) 다음을 생각해 봅시다.

- 무엇에 대해 고민하고 있습니까?

- 그것이 왜 고민스럽습니까?

2) 아래에 고민 사연을 써 보십시오.

1. 다음 글을 읽고 질문에 답하십시오.

> 대학생들의 가장 큰 고민거리는 '취업'인 것으로 나타났다. 지난 3월, 10일간 대학생 1,000명을 대상으로 실시된 설문 조사에서 응답자의 39.7%가 취업을 가장 큰 고민이라고 답했다. 다음으로는 경제적 문제(20.6%), 진로 문제(19.4%), 학점(6.8%), 대인 관계(4.3%), 연애 문제(2.7%), 외모(2.4%), 건강(1.3%) 등이 뒤를 이었다. 취업을 고민으로 꼽은 응답자는 1학년 15.4%, 2학년 19.5%, 3학년 35.2%, 4학년 56.2%였다. 학년이 올라가면서 취업에 대한 고민도 커지는 것을 알 수 있다.

1) 누구를 대상으로 무슨 내용을 조사했습니까?

2) 기사 내용을 바탕으로 다음의 그래프를 완성해 보십시오.

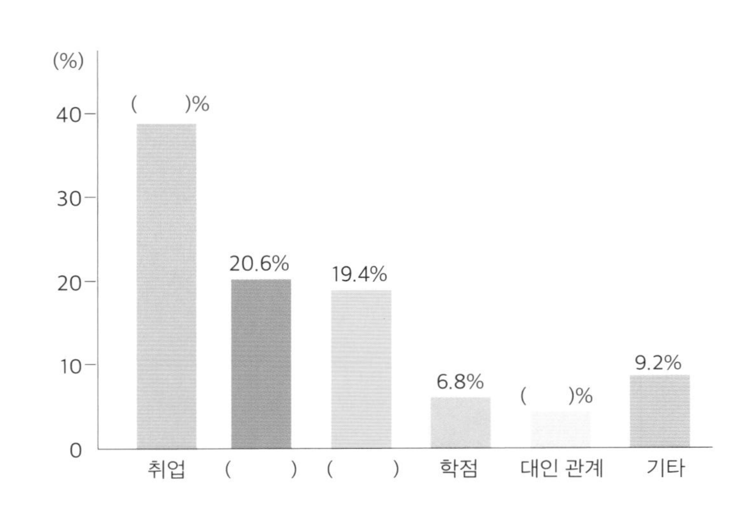

2. 우리 반 친구들은 어떤 고민이 있는지 조사해 봅시다.

1) 다음의 질문을 사용해서 우리 반 친구들을 대상으로 조사를 해 보십시오.

요즘 여러분들의 가장 큰 고민거리는 무엇입니까?

① 취업 및 진로 ② 성적 ③ 연애 문제 ④ 인간관계 ⑤ 가족과의 관계
⑥ 외모 ⑦ 건강 ⑧ 시간 관리 ⑨ 기타

2) 조사 결과를 바탕으로 그래프를 그리고 그 내용을 발표해 보십시오.

우리 반 친구들의 고민거리를 조사했는데 인간관계에 대한 고민이 가장 많았습니다.

고민 끝!! 행복 시작!!

인생을 살다 보면 누구에게나 고민이 생기기 마련이다. 여기, 깊은 고민 끝에 인생의 방향을 바꾸고 행복을 찾은 사람들이 있다. 이들의 이야기를 들어 보자.

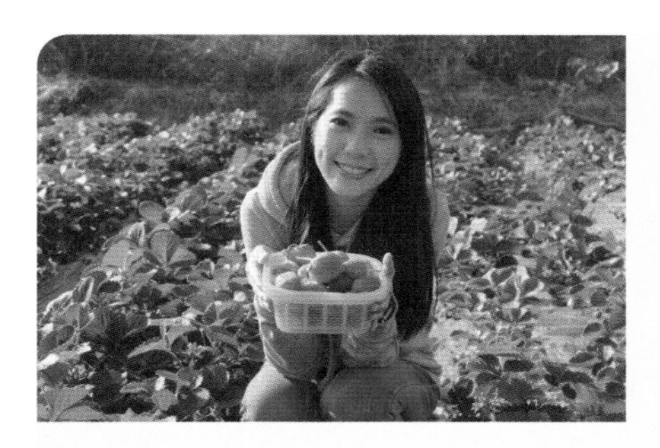

Q 농사를 시작하신 지 7년째가 되었다고 들었습니다. 어떻게 농사를 짓게 되신 건가요?

A 저는 원래 컴퓨터를 전공했고, 졸업하고 서울에 있는 회사에 다녔었습니다. 원하는 회사에 들어갔지만 업무량이 너무 많고 인간관계가 어려워서 스트레스를 많이 받았어요. 그때 마음속으로 정말 고민을 심각하게 했습니다. '이게 내가 원하던 삶일까?', '계속 이렇게 살아야 할까?' 그러다가 어렵게 휴가를 내고 오랜만에 고향에 오게 되었어요. 그런데 마음이 너무 편하더라고요. 고향 집에서 보이는 산, 강도 너무 아름답고, 햇빛, 바람도 너무 포근했어요. 거기에서 고민은 끝났죠. 그때 바로 결정했습니다. 고향에 돌아오기로요.

Q 그 결정에 후회는 없으신가요?

A 전혀 후회 없어요. 시간이 지날수록 그때 정말 잘 결정했다는 생각이 강해지고 있습니다. 즐겁게 생활하니까 농사도 잘 돼요.

Q 요즘 모델로서 누구보다 활발하게 활동하고 계신데요. 모델 활동을 하기 전에는 무슨 일을 하셨습니까?

A 저는 원래 식당을 했었습니다. 김치찌개 집 주인이었지요. 식당은 아주 잘되는 것은 아니었지만 우리 가족이 먹고 살 정도는 되었어요. 그런데 몇 년 전부터 식당이 어려워지면서 결국 식당을 그만두게 되었어요.

Q 가족이 모델을 해 보라고 조언했다고요?

A 네. 제가 식당을 그만두면서 좀 힘들어했어요. 식당을 그만두니까 할 것도 없고, 시간은 많고, 내 인생이 실패로 끝난 것 같아서 우울하고. 여러 가지 고민을 많이 하고 있었죠. 그때 우리 딸이 모델 지원서를 가져다주었어요. 아빠는 젊은 사람들보다 훨씬 멋있으니까 모델에 지원해 보라고요.

Q 모델 활동은 어떠신가요?

A 너무 재미있죠. 내가 이렇게 사람들 앞에 자신 있게 설 수 있다는 것이 신기하기도 하고요. 여기까지만 해도 저는 성공한 인생을 살고 있다고 생각합니다.

-았어야/었어야 했는데 과거에 앞에 나오는 일을 했으면 좋았을 거라고 생각하면서 후회나 아쉬움을 나타낼 때 쓴다.

1. '-았어야/었어야 했는데'를 사용해서 문장을 완성해 보십시오.

친구 결혼식에 꼭 갔어야 했는데 사정이 있어서 못 갔어요. (가다)

1) 어렸을 때 더 많이 .... 그러지 못했어요. (놀다)
2) 숙제를 .... 친구를 만나느라고 못 했어요. (하다)
3) 고등학교 때 더 열심히 .... 후회가 돼요. (공부하다)
4) 꽃병을 조심해서 .... 실수로 떨어뜨려서 깨졌어요. (옮기다)
5) 기념품을 몇 개 더 .... 부족해서 못 드린 사람이 있어요. (준비하다)

2. '-았어야/었어야 했는데'를 사용해서 문장을 만들어 보십시오.

돈을 아껴 쓰지 않아서 돈이 다 떨어졌다. → 돈을 아껴 썼어야 했는데….

1) 과속을 해서 교통사고가 났다.
→ ....
2) 늦게 일어나서 수업 시간에 지각했다.
→ ....
3) 일기예보를 확인하지 않아서 우산을 가져오지 않았다.
....
4) 식당을 미리 예약하지 않아서 앉을 자리가 없었다.
→ ....
5) 늦게까지 드라마를 보느라 잠을 거의 못 자서 피곤하다.
→ ....

3. 다음 결과에 대해서 '-았어야/었어야 했는데'를 사용해서 이야기해 보십시오.

제가 친구에게 먼저 화를 내서 친구와 싸웠어요. 좀 참았어야 했는데 아쉬워요.

1) 친구와 싸우다 2) 배가 너무 부르다 3) 물을 쏟다 4) 대회에서 실수하다

-았을/었을 텐데 만약 과거가 달랐다면 앞에 나오는 내용의 일이 일어나거나 그런 상황이 되었을 것이라고 생각하면서 후회나 아쉬움을 나타낼 때 쓴다.

1. '-았을/었을 텐데'를 사용해서 문장을 만들어서 말해 보십시오.

기차가 제시간에 오다, 지각하지 않다
→ 기차가 제시간에 왔으면 지각하지 않았을 텐데.

후회되거나 아쉬운 일	
1) 내가 좀 참다, 친구와 싸우지 않다	
2) 그 사람이 방해하지 않다, 벌써 성공하다	
3) 사람들에게 묻다, 호텔을 빨리 찾다	
4) 친구들의 도움을 받다, 과제를 잘 끝내다	
5) 그때 너와 헤어지지 않다, 우린 지금 결혼하다	

2. '-았을/었을 텐데'를 사용해서 문장을 완성해 보십시오.

잘 준비하다, 실수하지 않다, 준비가 부족하다
→ 잘 준비했으면 실수하지 않았을 텐데 준비가 부족했어요.

1) 잘 찾아보다, 찾을 수 있다, 꼼꼼히 살펴보지 않다
→ ______________________.

2) 내가 먼저 전화하다, 쉽게 화해하다, 그렇게 하지 못하다
→ ______________________.

3) 내가 실수를 안 하다, 우리 팀이 우승하다, 실수해서 아쉽다
→ ______________________.

4) 필요한 물건만 사다, 돈이 남다, 쇼핑을 너무 많이 하다
→ ______________________.

5) 빨리 걷다, 일찍 도착하다, 너무 천천히 걷다
→ ______________________.

3. '-았을/었을 텐데'를 사용해서 이야기해 보십시오.

숙제를 못 했어요. 친구랑 놀지 않았으면 숙제를 다 했을 텐데. 다음에는 숙제를 끝내고 놀아야겠어요.

1) 숙제를 못 하다 2) 시험을 망치다 3) 회의 시간에 졸다 4) 체육 대회에서 꼴찌를 하다

1. 다음을 보고 알맞은 말을 골라 말해 보십시오.

다른 사람에게 잘해 주지 못하다	너무 쉽게 포기하다	다른 사람의 시선을 너무 신경 쓰다	기회를 놓치다

1) 할머니께서 돌아가셨어요. 맛있는 것도 사 드리고, 전화도 자주 했어야 했는데….
할머니께 잘해 드리지 못한 게 후회돼요.

2) 예전에는 다른 사람들이 나를 이상하게 생각할까 봐 걱정을 많이 했어요. ______________________
______________________.

3) 외국어를 공부하고 싶었는데 시간이 없어서 포기했어요. ______________________.

4) 가수가 될 수 있는 기회가 있었는데 망설이다가 못 했어요. ______________________.

2. 다음에서 알맞은 말을 골라 문장을 완성해서 말해 보십시오.

신중하다	신경 쓰다	참다	놓치다

1) 학과를 선택할 때는 ______________________ 생각해야 돼요.

2) 수지는 졸음을 못 ______________________ 눈을 감았어요.

3) 기차역에 늦게 도착해서 기차를 ______________________.

4) 다른 사람들이 하는 말에 너무 ______________________ 마세요.

3. 여러분은 다음과 같은 후회되는 일이 있습니까? 배운 표현을 활용해서 이야기해 보십시오.

저는 얼마 전에 발표할 때 다른 사람의 시선을 너무 신경 쓰느라고 준비한 것을 제대로 하지 못했어요.

1. 다음 대화를 잘 듣고 질문에 답하십시오.

1) 유진 씨는 말하기 대회에서 어떤 결과를 얻었습니까?

2) 유진 씨는 무엇을 후회합니까?

2. 다음 글을 읽고 질문에 답하십시오.

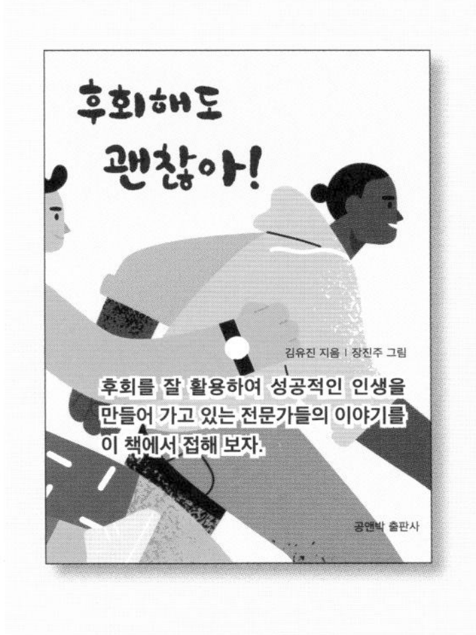

이 책은 다양한 분야에서 활동하는 전문가들이 자신이 후회하는 일에 대해서 솔직하게 이야기하는 내용을 모아 놓은 책이다. 그들은 자신이 후회하는 일을 돌이키기 위해서 어떤 노력을 해 왔는지에 대해서도 이야기하고 있다.

누구나 후회를 하면서 산다. 약간의 후회는, 인생이라는 ㉠ .... 같은 것이다. 후회를 잘 활용하면 삶을 더 풍부하게 만들 수 있다. 그러나 '그때 이렇게 했어야 했는데….', '그때 했으면 좋았을 텐데….'라고 후회만 하는 것은 도움이 되지 않는다고 이들은 말한다. 후회를 잘 활용하여 성공적인 인생을 만들어 가고 있는 전문가들의 이야기를 이 책에서 접해 보자.

1) 이 책에는 어떤 내용이 들어 있습니까?

2) ㉠에 들어갈 알맞은 말을 고르십시오.

① 연극 속의 주인공　　② 요리에 넣는 양념　　③ 길을 안내해 주는 표지판

1. 여러분은 '만약 그때 ~했다면 지금 어땠을까?' 하고 생각하는 일이 있습니까? 그 일에 대해 이야기해 보십시오.

1) 그 일은 무엇입니까?

2) 그 일을 했다면 지금 어땠을 것 같습니까?

3) 그 일에 대해서 여러분이 느끼는 감정은 무엇입니까?

저는 5년 전에 외국에 있는 회사에 취직을 하려고 했었어요. 회사를 알아보고 면접시험도 보고 준비를 다 했는데 막상 외국에서 살려고 하니까 좀 망설여졌어요. 그래서 그냥 안 가기로 했어요. 만약 그때 외국에 갔었다면 지금의 제 남편을 만나지는 못했을 거예요. 그러면 사랑스러운 제 아이도 이 세상에 없었겠죠. 저는 외국에 가지 않은 것을 후회하지는 않아요. 그렇지만 조금 아쉬운 마음이 있어요. 그래서 언젠가는 외국에서 한번 살아 보고 싶어요.

2. 위에서 이야기한 내용을 바탕으로 '만약 그때 ~했다면 지금 어땠을까?'라는 주제로 글을 써 보십시오.

한국인의 후회, BEST 4

그때 갔으면 좋았을 텐데.

여행을 자주 다니지 않은 이유는?
"여행 갈 시간이 없다."
"해외여행은 비싸다."
"국내 여행은 귀찮다."
친구들이 여행을 가자고 했다.
친구들 때문에 어쩔 수 없이 떠난 여행.
그런데 즐겁다. 행복하다.
젊었을 때 더 자주 여행을 다니지 않은 것이 후회된다.

말했어야 했는데….

어색해서 말하지 못했다.
자존심 때문에 말하지 못했다.
나중에 기회가 있을 것이라고 생각했다.
그래서 말하지 못했다.
그런데 사실은 그때 꼭 필요했던 말들이다.
"엄마 사랑해요."
"아빠 사랑해요."
"나 사실 너 좋아해."
"미안해. 내가 잘못했어."

피우지 말았어야 했는데….

1월 1일이 되었다.
올해도 또 결심한다.
"담배를 끊어야지."
하지만 쉽지 않다.
참아야 되는데 그게 잘 안 된다.
힘들다.
끊지 못하는 것도 슬프지만 더 후회되는 것이 있다.
"내가 이걸 왜 시작했을까?"
"처음부터 담배를 배우지 말았어야 했는데…."

모아 뒀으면 걱정이 없었을 텐데.

"미래는 어떻게 될지 아무도 모른다."
"지금 행복한 것이 중요하다."
"사고 싶은 게 너무 많다."
지금까지 이런 생각으로 돈을 모으지 않았다.
그런데 살다 보니 '준비'가 필요한 일들이 있다.
결혼을 하고, 이사를 하고, 차를 사고 ….
모든 일에 돈이 필요하다.
젊었을 때 돈을 모으지 않은 것이 후회된다.

에 비해서 앞의 명사가 비교의 대상이 되어 뒤 내용과 같은 평가가 있음을 나타낼 때 사용한다. '에 비해'라고도 쓸 수 있다.

1. '에 비해서'를 사용해서 문장을 만들어서 말해 보십시오.

고양이, 강아지, 키우기 쉽다
→ 고양이는 강아지에 비해서 키우기가 쉬워요.

1) 한국의 겨울 날씨, 몽골의 겨울 날씨, 따뜻하다
→ .
2) 쓰기 시험, 읽기 시험, 성적이 나쁘다
→ .
3) 떡볶이, 김치찌개, 맵지 않다
→ .
4) 도시, 시골, 젊은 사람이 많이 살다
→ .

2. '에 비해서'를 사용해서 대화를 완성하십시오.

새로 산 컴퓨터 마음에 들어요?
네. 가격에 비해서 품질이 좋아요.

1) 가: 취업한 회사는 어때요?
나: 힘들어요. ______ 일이 너무 많아요.
2) 가: 이분이 할머니라고요?
나: 네. 할머니가 ______ 젊어 보이세요.
3) 가: 시험 잘 봤어요?
나: 아니요. ______ 점수가 너무 안 나왔어요.
4) 가: 왜 이사를 갔어요?
나: 예전에 살던 집이 ______ 방이 너무 작아서 불편했거든요.

⊕ 더 알아봐요

에 비해서

'에 비해서'는 앞의 명사가 기준이 되어 뒤 내용과 같은 평가가 있음을 나타낼 때도 사용한다.
예) 노력에 비해서 성과가 좋지 않네요.

3. 여러분의 나라는 과거에 비해서 어떻게 달라졌습니까? 과거와 비교해서 달라진 모습을 '에 비해서'를 사용해서 이야기해 보십시오.

과거에 비해서 일을 하는 여자들이 많아졌어요. 과거에는 20대에 결혼하는 사람이 많았지만, 요즘에는 30대에 결혼하지 않은 사람도 많아요.

-아야지/어야지 다른 사람에게 어떤 일을 해야 한다거나 어떤 상태여야 함을 말할 때 혹은 말하는 사람이 의지를 가지고 어떤 일을 하려고 할 때 쓴다.

1. '-아야지/어야지'를 사용해서 문장을 만들어서 말해 보십시오.

늦잠을 자는 아이

→ 아버지: 이제 그만 일어나야지.

1) 저축을 하지 않고 쇼핑만 하는 자녀 → 부모님: ....

2) 늦은 밤까지 자지 않고 놀려고 하는 아이 → 아버지: ....

3) 방 청소를 하지 않는 아이 → 어머니: ....

4) 회사에 늦게 출근한 신입 사원 → 직장 상사: ....

2. 다음에서 알맞은 말을 골라 '-아야지/어야지'를 사용해서 문장을 완성해 보십시오.

돕다	투표하다	남겨 놓다	합격하다	조심하다

1) 내년에는 꼭 시험에 ....

2) 다음 선거에는 반드시 ....

3) 앞으로 사고가 나지 않도록 ....

4) 돈을 아껴서 어려운 이웃들을 ....

5) 딸기가 먹고 싶지만 늦게 오는 동생을 위해 ....

3. 여러분 나라에서 어른이 아이에게 또는 나이 많은 사람이 젊은 사람에게 많이 하는 말이 있습니까? '-아야지/어야지'를 사용해서 이야기해 보십시오.

어른들이 "학생은 열심히 공부해야지."라는 말을 많이 하세요.

1. 다음과 같이 문장을 만들어서 말해 보십시오.

청소년기는 몸과 마음이 어른으로 성장하는 시기예요.

1) 청소년기 •	• 나이가 많으며 이전의 생각을 계속 가지고 있는 집단이다
2) 아동기 •	• 학교에 입학해서 관계를 맺기 시작하는 시기이다
3) 청년기 •	• 이전 세대와 구별되는 새로 등장한 젊은 집단이다
4) 신세대 •	• 몸과 마음이 어른으로 성장하는 시기이다
5) 구세대 •	• 취업, 결혼 등으로 고민이 많은 시기이다

2. 다음에서 알맞은 말을 골라 문장을 완성해 보십시오.

사춘기	노인	청년	개혁적이다	보수적이다

1) 새로운 시대에 적응하기 위해서는 ______________ 방향으로 회사를 이끌 사람이 필요하다.

2) 안나 씨는 ______________ 무렵에 고민이 많은 소녀였다.

3) ______________ 되면 건강에 많은 관심을 갖게 된다.

4) 경제가 나빠지면서 ______________ 들의 취업이 어려워지고 있다.

5) 나는 새로운 방식보다는 오래된 방식을 좋아하는 ______________ 사람이다.

3. 여러분의 주변 사람들을 배운 어휘를 활용해서 이야기해 보십시오.

제 여동생은 지금 청소년인데 사춘기가 온 것 같아요. 예전에는 저랑 대화를 많이 했는데 요즘 말이 없어졌어요.

우리 부모님은 나이는 많으시지만 생각하시는 건 신세대 같아요.

1. 다음 대화를 잘 듣고 질문에 답하십시오.

1) 무엇에 대해 이야기하고 있습니까?

2) 들은 내용과 다른 것을 고르십시오.

① 유진은 옷차림에 대해서 보수적인 편이다.

② 마리의 회사에서는 출근할 때 반바지를 입어도 된다.

③ 유진은 반바지는 회사에 맞는 옷이 아니라고 생각한다.

④ 마리의 회사의 젊은 사람들은 반바지를 입어도 된다고 생각한다.

2. 여러분 나라의 특정 세대에서 볼 수 있는 문화가 있습니까? 세대별 문화의 특징을 이야기해 보십시오.

한국의 중년이나 노년 세대의 대표적인 취미는 등산이에요. 과거에는 주말에 집에서 텔레비전을 보거나 쉬는 경우가 많았는데 요즘에는 등산을 가는 부모님 세대가 아주 많아요. 집에서 가까운 낮은 산뿐만 아니라 버스나 기차를 타고 멀리 가서 높은 산에 오르는 분들도 많아요. 그래서 등산은 한국의 50~60대의 대표적인 취미라고 할 수 있어요.

1. 다음 글을 읽고 질문에 답하십시오.

'YOLO'는 '인생은 한 번뿐이다'를 뜻하는 'You Only Live Once.'의 앞 글자를 딴 단어로 현재의 행복을 가장 중요하게 생각하는 태도를 말한다. 2011년 캐나다 래퍼의 가사에 처음 등장해 젊은이들 사이에서 화제가 되었고, 한국에서도 여행 프로그램에 출연한 외국인 여성이 YOLO를 외치는 장면이 나와 최근 젊은이들 사이에서 널리 유행하고 있다. 이러한 가치관은 가족을 위해, 미래를 위해 희생하는 것을 당연하게 생각했던 부모 세대와는 큰 차이를 보인다.

그러나 최근에는 YOLO의 삶을 외치던 청년들이 달라지고 있다. 현재의 만족을 가장 중요하게 생각하면서 소비를 즐기던 모습에서 벗어나 열심히 저축을 하고, 경제 공부까지 하는 청년 세대가 늘고 있다. 한 경제 보고서에 따르면 한 달 소득 중 소비가 차지하는 비율은 20대와 30대가 40대와 50대에 비해서 낮게 나타났다. 또한 저축률 역시 20대와 30대가 가장 높게 나타났다. 이러한 변화는 미래에 대한 불안감 때문인 것으로 보인다.

1) 윗글의 제목으로 알맞은 것을 고르십시오.

① YOLO의 뜻과 특징
② 부모 세대의 가치관
③ 청년들의 달라진 인생관
④ YOLO를 외치는 젊은이들

2) 윗글의 내용과 다른 것을 고르십시오.

① 부모 세대는 가족을 위한 희생을 당연하게 생각한다.
② YOLO는 한국의 여행 프로그램에서 처음 사용되었다.
③ 20대와 30대는 40대와 50대에 비해서 저축을 많이 한다.
④ 청년 세대는 미래에 대한 불안감 때문에 소비를 적게 한다.

2. 여러분 나라의 특정 세대에서 볼 수 있는 특징을 써 보십시오.

1) 어느 세대의 문화입니까?	
2) 어떤 특징이 있습니까?	
3) 다른 세대와 비교해서 어떤 차이가 있습니까?	

한국의 신조어, 어떤 특징이 있을까?

혼밥 혼술
ㅋㅋ, ㅎㅎ, ㅇㅇ, ㅈㅅ, ㅇㅋ 띵작 중도
마상 댕댕이
학관 띵곡 커엽다
아아

1. "짧게, 더 짧게 줄여 봐~." 말을 줄여서 만든 신조어

가장 많이 쓰는 신조어는 줄임말입니다. 중앙 도서관을 줄여서 '중도', 학생회관을 줄여서 '학관'이라고 하는 것은 이제는 너무 일반적으로 사용되어서 더 이상 신조어라고 하기도 어려울 정도입니다. 줄임말 신조어는 계속적으로 만들어지고 있습니다. 한국인들이 자주 마시는 커피인 '아이스 아메리카노'를 줄여서 '아아'라고 하고, 상대방의 말 때문에 '마음의 상처'를 받았을 때에는 '마상'이라고 합니다. 최근에는 혼자서 밥을 먹거나 술을 마시는 사람들이 많아졌는데 '혼밥', '혼술'도 자주 사용하는 줄임말 신조어입니다.

2. "길게 쓰면 힘들잖아." 초성만으로 말하는 신조어

휴대폰 문자 메시지를 보내거나 인터넷에서 채팅을 할 때 빨리 쓰기 위해서 글자 전체를 쓰지 않고 초성만 사용하는 경우가 많습니다. 웃음소리를 나타내는 '큭큭'이나 '하하'는 'ㅋㅋ', 'ㅎㅎ' 로 씁니다. 최근에는 잘못했을 때 '죄송합니다'를 나타내는 'ㅈㅅ', 상대방의 부탁에 허락을 의미하는 '응응'의 줄임말인 'ㅇㅇ' 그리고 긍정의 의미를 나타내는 영어 OK(오케이)를 뜻하는 'ㅇㅋ' 등을 자주 사용합니다.

3. "좀 색다르게 읽어 볼까?" 글자 모양을 바꿔 읽는 신조어

최근에는 단어의 글자를 모양이 비슷한 글자로 일부러 바꿔서 읽는 방법이 유행하고 있습니다. 예를 들어 '귀엽다'의 '귀'라는 글자가 '커'와 모양이 비슷하기 때문에 '커엽다'라는 신조어를 만드는 것입니다. 좋은 노래를 의미하는 '명곡', 좋은 작품을 의미하는 '명작'이라는 단어에서도 '명'자가 '띵'과 비슷하다는 점을 이용해서 '띵곡', '띵작'이라고 합니다. 그리고 강아지를 의미하는 '멍멍이'도 '댕댕이'라고 하는 경우가 많습니다.

-는지/(으)ㄴ지 알다, 모르다 어떤 내용에 대해 알거나 모르는 것을 말할 때 쓴다.

1. '-는지/(으)ㄴ지 알다, 모르다'를 사용해서 문장을 완성해 보십시오.

할인 행사를 몇 층에서 하는지 알아요? (몇 층, 하다)

1) 안나가 오늘 학교에 .... ? (왜, 안 오다)

2) 해리가 .... ? (무슨 음식, 좋아하다)

3) 영화배우 김민재 씨가 .... ? (어떤 영화, 출연하다)

4) 서울에서 제주도까지 비행기로 .... ? (몇 시간, 걸리다)

5) 여름에 부산 날씨가 .... ? (얼마나, 덥다)

2. '-는지/(으)ㄴ지 알다, 모르다'를 사용해서 대화를 만들어 대화해 보십시오.

안나 씨가 지금 도서관에 있는지 집에 있는지 알아요?

네. 알아요. 안나 씨는 지금 도서관에 있어요. / 아니요. 안나 씨가 어디 있는지 몰라요.

1) 안나 씨가 지금 •	• 덥다, 안 덥다
2) 오늘 서울의 날씨 •	• 도서관에 있다, 집에 있다
3) 버스에 탈 때 •	• 음료수를 들고 타도 되다, 안 되다
4) 그 물건이 •	• 비가 오다, 안 오다
5) 지금 밖에 •	• 마트에 있다, 없다

3. '-는지/(으)ㄴ지 알다, 모르다'를 사용해서 이야기해 보십시오.

역사 박물관이 몇 시에 문을 여는지 알아요?

오전 9시에 문을 열어요.

역사 박물관	
문 여는 시간	오전 9시
문 닫는 시간	오후 5시
입장료	성인 2,000원, 어린이 1,000원
안내 책자를 받는 곳	박물관 입구
쉬는 날	매주 월요일

-는다면서요?/ㄴ다면서요?/다면서요? 들어서 아는 어떤 사실을 상대방에게 확인하기 위해 물어볼 때 쓴다.

1. '-는다면서요?/ㄴ다면서요?/다면서요?'를 사용해서 문장을 바꿔 보십시오.

부산에는 지금 비가 많이 내려요. → 부산에는 지금 비가 많이 내린다면서요?

1) 승기 씨가 원래 가수예요.
→ .... ?

2) 한국 사람들은 매일 김치를 먹어요.
→ .... ?

3) 주노 씨가 한국 음식을 아주 잘 만들어요.
→ .... ?

4) 우리 학교에 유명한 연예인이 입학한대요.
→ .... ?

5) 한국에서는 전세로 집을 빌리는 제도가 있어요.
→ .... ?

2. '-는다면서요?/ㄴ다면서요?/다면서요?'를 사용해서 대화를 완성해 보십시오.

지난 주말에 설악산에 다녀왔어요.

요즘 설악산 단풍이 정말 아름답다면서요?
(아름답다)

1) 가: 로라랑 진 얘기 들었어요?
나: 네. 둘이 .... ? (사귀다)

2) 가: 한국대학교에 .... ? 축하해요. (합격하다)
나: 고마워요. 걱정했는데 다행히 붙었어요.

3) 가: 이번 방학 때 고향에 .... ? (다녀오다)
나: 네. 방학 때 형 결혼식이 있어서요.

4) 가: 오늘 회의가 .... ? (취소되다)
나: 네. 그래서 이번 주에는 회의가 없대요.

5) 가: 마리 씨가 회사에서 .... ? (승진하다)
나: 네. 일을 열심히 했나 봐요.

3. 최근에 들은 이야기에 대해 '-는다면서요?/ㄴ다면서요?/다면서요?'를 사용해서 이야기해 보십시오.

새로 나온 영화가 아주 재미있다면서요?

네. 저도 들었어요. 그래서 이번 주말에 보려고 해요.

1. 다음에서 알맞은 말을 골라 그림에 대해 말해 보십시오.

지역 사투리가 있다	가족을 부르는 말이 다양하다	'나'보다 '우리'를 중요하게 생각하다	웃어른을 존경하다

2. 다음에서 알맞은 말을 골라 문장을 완성해서 말해 보십시오.

벗다	사투리	소리를 나타내다	존경하다	정이 많다

1) 그는 모자를 .... 선생님께 고개 숙여서 인사를 했다.

2) 평소에는 표준어를 사용하지만 고향 친구들을 만나면 .... 저절로 나온다.

3) '멍멍'은 개가 짖는 .... 표현이다.

4) 나는 우리 가족을 위해 열심히 일하시는 부모님을 ....

5) 그는 무뚝뚝해 보이지만 알고 보면 ....

3. 여러분 나라 문화의 특징을 두 가지 이상 이야기해 보십시오.

> 우리 나라 말에는 반말과 높임말이 없어요. 그런데 지역 사투리는 아주 많아요. 어떤 지역 사투리는 전혀 알아들을 수 없어요. 그리고 우리 나라에는 다양한 민족이 살고 있어요. 민족마다 조금씩 다른 문화를 가지고 있어요.

1. 다음 대화를 잘 듣고 질문에 답하십시오.

1) 태국 사람들이 본명 대신 평소에 부르는 이름을 사용하는 이유는 무엇입니까?

2) 들은 내용과 같으면 ○, 다르면 × 표시를 하십시오.

① 메이 씨의 친구들은 메이 씨를 다른 이름으로 부른다. ( )

② 메이라는 이름은 어렸을 때 부모님이 지어 주신 것이다. ( )

③ 메이 씨는 메이라는 이름이 어색하게 느껴진다. ( )

2. 다른 나라 사람들에게 알려 주고 싶은 여러분 나라만의 특징적인 문화에는 어떤 것이 있는지 이야기해 보십시오.

한국에서는 밤 늦은 시간까지 영업을 하는 식당이나 카페, 노래방 등을 볼 수 있어요. 한국에는 24시간 영업하는 곳이 있거든요. 늦은 시간에도 위험하지 않고 안전하게 식당이나 상점을 이용할 수 있어서 다른 나라 사람들이 신기하게 생각해요.

1. 다음 글을 읽고 질문에 답하십시오.

베이징으로 출장을 갔다가 오랜만에 중국 친구들을 만나서 저녁을 먹었다. 2년 전에 우리 대학으로 유학을 와서 공부했던 친구들이다. 한 친구가 "회사에서 출장 왔다면서? 일은 잘 끝났어?" 하고 반갑게 말하면서 술을 따라 주었다. 내가 술을 조금 마시니까 친구가 내 술잔에 술을 가득 채워 주었다. 중국에서는 이렇게 술잔에 술이 비지 않도록 계속 술을 따라 주는 것이 예의라고 했다. 술 마시는 문화가 우리나라와 달라서 어색했다. 우리나라에서는 술을 다 마시고 술잔이 비었을 때만 술을 따라 준다.

이야기를 나누다 보니 우리나라와 다른 것이 또 있었다. 우리나라 사람들은 술을 마실 때 잔을 부딪치면서 건배하는 것을 좋아한다. 그런데 중국에서는 건배를 자주 하지 않는다고 한다. 친구가 "중국에서 건배를 어떻게 하는지 알아?" 하고 물었다. 내가 잘 모르겠다는 표정을 지었더니 한 친구가 술잔으로 식탁을 두드렸다. 그러자 다른 친구들도 똑같이 했다. 중국에서는 이렇게 건배를 대신하는 경우가 많다고 한다. 술자리 문화가 나라마다 다르다는 것이 재미있었다.

1) 이 사람은 중국 친구들과 술을 마시면서 어떤 문화 차이를 경험했습니까?

2) 중국에서는 건배 대신 어떤 행동을 합니까?

2. 윗글과 같이 여러분이 경험한 문화 차이에 대해 써 보십시오.

외국인들이 놀라는 한국 문화

하나

빠르고 편리한 배달

한국에서는 언제 어디서나 빠르고 편리하게 배달 음식을 시켜 먹을 수 있다. 예전에는 주로 전화로 주문했는데 요즘에는 배달 앱이 나와서 더 편리해졌다. 메뉴도 다양하다. 치킨, 피자 같이 유명한 배달 음식 이외에도 아침밥, 샐러드, 커피나 차 등 거의 모든 음식이 주문 가능하다. 집이나 사무실뿐만 아니라 공원, 놀이터, 지하철역, 심지어 한강 공원 같은 곳에서도 배달 음식을 시킬 수 있다.

둘

빠르고 정확한 택배

한국은 택배 문화도 발달되어 있다. 온라인 쇼핑몰은 물론 마트나 일반 가게에서도 전화나 인터넷으로 주문하고 집에서 빠르고 정확하게 물건을 받을 수 있다. 대부분 하루나 이틀이면 물건을 받을 수 있고, 아침 일찍 주문해서 저녁에 받는 경우도 있다.

24시간 영업

외국인들에게 익숙하지 않은 한국 문화 중 하나가 24시간 영업하는 가게가 많다는 것이다. 한국에서는 편의점, 식당, 카페, 노래방 등 밤에도 문을 열고 영업하는 곳이 많다. 그래서 한국에서는 밤 문화를 즐기는 사람들이 많다. 밤에 할 수 있는 일들이 많을 뿐만 아니라 밤에 돌아다녀도 안전하기 때문이다. 밤에 영업하는 상점이 적은 나라에서 온 외국인들은 늦은 시간까지 환하게 불이 켜져 있고 많은 사람들이 오가는 한국의 밤거리를 보면 무척 신기하게 생각한다.

속도 빠른 인터넷, 무료 와이파이(wifi, 무선 인터넷)

한국에 여행 온 외국인들이 가장 놀라는 것이 바로 인터넷 속도가 빠르고 무료 와이파이(wifi) 구역을 자주 볼 수 있는 것이라고 한다. 한국의 인터넷은 연결 속도가 매우 빠르다. 이것은 한국의 IT 기술이 발달했기 때문이다. 또한 한국에서는 무료 와이파이(wifi)를 쓸 수 있는 곳이 많다. 카페는 물론이고 도서관, 식당, 지하철 안에서도 무료 와이파이(wifi)를 쓸 수 있다.

-는 데에 주로 '도움이 되다, 효과가 있다, 시간이 걸리다, 필요하다' 등의 앞에 쓰여, 그 대상이나 목적이 됨을 나타낸다. '-는 데'라고도 쓴다.

1. '-는 데에'를 사용해서 문장을 만들어서 말해 보십시오.

1) 생강차는 감기를 예방하다 •	• 효과적이다
2) 차를 고치다 •	• 돈이 많이 들다
3) 비행기 표를 예약하다 •	• 도움을 주는 책이다
4) 요즘은 영상을 찍다 •	• 시간을 많이 쓰다
5) 이 책은 사람의 마음을 이해하다 •	• 여권 번호가 필요하다

생강차는 감기를 예방하는 데에 효과적입니다.

2. '-는 데에'를 사용해서 대화를 완성해 보십시오.

식물이 잘 자라는 데에 무엇이 가장 중요합니까?

(식물이 잘 자라다)

물과 햇빛이 가장 중요합니다.

1) 가: ....? (상을 받다)

나: 반 친구들의 도움이 가장 컸습니다.

2) 가: ....? (말하기 대회를 준비하다)

나: 한 달 정도 걸렸어요.

3) 가: ....? (한국을 여행하다)

나: 아니요. 생각보다 적게 들었어요.

4) 가: ....? (김치찌개를 만들다)

나: 김치하고 고기만 있으면 돼요.

3. '-는 데에'를 사용해서 이야기해 보십시오.

한국어 실력을 늘리는 데에 한국 방송을 보는 게 큰 도움이 돼요.

1) 한국어 실력을 늘리는 방법

2) 다른 사람과 쉽게 친해지는 방법

3) 스트레스를 푸는 효과적인 방법

4) 환경을 보호하는 방법

-다 보니 앞에 나오는 일을 하는 과정에서 어떤 상태가 되었거나 새로운 사실을 알게 되었을 때 쓴다.

1. '-다 보니'를 사용해서 문장을 만들어 말해 보십시오.

1) 같은 일을 오래 하다	슬럼프가 찾아오다
2) 매일 글을 쓰다	건강이 좋아지다
3) 신나게 웃고 떠들다	유적지를 많이 알게 되다
4) 신선한 음식을 챙겨 먹다	스트레스가 다 풀리다
5) 역사에 관심을 갖고 공부하다	책을 낼 수 있는 정도가 되다

같은 일을 오래 하다 보니 슬럼프가 찾아왔어요.

2. '-다 보니'를 사용해서 대화를 완성해 보십시오.

이 떡볶이 보기보다 정말 맵다.

그렇지? 별로 안 매운 줄 알았는데 먹다 보니 더 매워지는 것 같아.

1) 가: 주노 씨, 지금 읽고 있는 책 어때요? 읽을 만해요?
   나: 네. ______________________ 새롭게 알게 되는 게 정말 많아요.

2) 가: 수지 씨, 불고기를 너무 많이 만든 거 아니에요?
   나: ______________________ 양이 많아졌어요.

3) 가: 이 노래 정말 좋지요? 계속 듣게 돼요.
   나: 처음 들었을 때는 별로였는데 계속 ______________________ 멜로디가 참 좋네요.

4) 가: 소피, 네가 한국 방송에 출연하게 됐다던데 사실이야?
   나: 응. ______________________ 이런 날도 다 있네.

3. '-다 보니'를 사용해서 이야기해 보십시오.

이 영화를 보다 보니 행복은 멀리 있지 않다는 생각이 들었어요.

1) 영화를 보다 2) 한국어를 공부하다 3) ________ 을/를 만나다 4) ________ 년 동안 살다

1. 다음을 보고 주어진 명사와 어울리는 동사를 모두 골라 써 보십시오.

관리하다 | 검사하다 | 개발하다 | 연구하다 | 분석하다 | 제공하다 | 해결하다

기술	품질
기술을 개발하다	

정보	문제

2. 다음과 같이 문장을 만들어서 말해 보십시오.

1) 프로그래머 • ——— • 컴퓨터 프로그램을 전문적으로 개발하다
2) 디자이너 • • 새로운 디자인을 창조하다
3) 광고 전문가 • • 면세점 손님들에게 서비스를 제공하다
4) 기후 전문가 • • 상품이나 기업, 기관 등을 홍보하다
5) 면세점 직원 • • 기후 변화를 분석하고 연구하다

프로그래머는 컴퓨터 프로그램을 전문적으로 개발하는 일을 합니다.

3. 다음과 같이 이야기해 보십시오.

저는 한국 아이돌의 성공 요인을 분석해 보고 싶어요.

1) 분석하고 싶은 것　2) 개발하고 싶은 것　3) 홍보하고 싶은 것　4) 디자인하고 싶은 것

1. 다음 대화를 잘 듣고 질문에 답하십시오.

01

1) 민수 씨는 지금 어떤 회사에 다니고 있습니까? 그 회사에서 어떤 일을 합니까?

2) 들은 내용과 같으면 ○, 다르면 × 표시를 하십시오.

① 민수 씨는 아직 경험이 부족하다고 생각한다. ( )

② 민수 씨는 요즘 회사 생활이 만족스럽다. ( )

2. 다음 글을 읽고 질문에 답하십시오.

직업넷

새로운 시대를 이끄는 '인공 지능 전문가'

우리의 생활을 더욱 편리하게 만드는 '로봇 청소기'와 '로봇 안내원'은 과연 누가 만든 것일까? 바로 '인공 지능 전문가'이다.

'인공 지능'이란 사람처럼 스스로 생각하고 행동하는 능력을 가진 컴퓨터 기술을 뜻한다. 인공 지능 기술은 사람들의 생활을 더욱 편리하게 할 뿐만 아니라 건강과 안전을 지키는 데에 도움을 준다. 인공 지능 로봇으로 사람을 대신해 위험한 일을 하기도 하고, 인공 지능 CCTV로 사람이 갑자기 쓰러지거나 다쳤을 때 자동으로 신고가 되게 해 주기도 한다.

'인공 지능 전문가'는 바로 이러한 인공 지능 기술을 개발하여 인류의 발전을 이끄는 직업으로 매우 전망 있는 직업 가운데 하나로 꼽힌다. 인공 지능 전문가가 되기 위해서는 컴퓨터 관련 전문 지식을 쌓는 것이 가장 중요하지만 사람들의 마음과 행동을 분석하고 창의적으로 생각하는 능력을 반드시 갖추어야 한다. 컴퓨터공학과 뇌과학, 심리학 등의 다양한 학문 분야를 연결하여 새로운 기술을 창조할 수 있어야 할 것이다.

1) '인공 지능'이란 무엇입니까?

2) '인공 지능 전문가'는 어떤 일을 하는 직업입니까?

3) '인공 지능 전문가'가 되기 위해서는 어떤 능력을 갖추어야 합니까?

1. 여러분은 어떤 직업에 관심이 있습니까? 친구들과 함께 이야기해 보십시오.

1) 최근에 새롭게 알게 된 직업이나 평소에 관심이 있었던 직업이 무엇입니까?

2) 그 직업은 어떤 일을 합니까?

3) 그 일을 하기 위해서는 어떤 능력을 갖추어야 합니까?

2. 위에서 이야기한 직업을 소개하는 글을 써 보십시오.

다가올 미래, '직업의 변화'

과학 기술의 눈부신 발전으로 직업의 세계에도 큰 변화가 일어나고 있다. 기계가 사람을 대신하게 되면서 직업이 사라지기도 하고, 기존에 없던 새로운 산업과 직업이 생겨나기도 한다. 그렇다면 우리가 앞으로 주목해야 할 직업은 무엇일까? 지금부터 미래의 유망 직업에 대해 살펴보도록 하자.

IT·로봇 분야

미래에는 인간과 소통할 수 있는 로봇을 자연스럽게 사용하게 될 것이다. 그리고 현실 세계와 가상 세계가 통합된 새로운 세상을 살게 될 것이다. 따라서 이러한 미래 사회에는 로봇을 연구하고 개발하는 '로봇 기술자'와 사물에 인터넷을 연결해 새로운 서비스를 제공하는 '사물 인터넷 전문가', 가상 세계를 디자인하고 창조하는 '가상 현실 전문가'와 같은 직업이 전망이 좋을 것이다.

환경 분야

환경 오염은 인류를 위협하는 가장 심각한 문제이다. 따라서 미래 사회에는 이러한 환경 오염 문제를 해결하기 위한 직업이 다양해지고 중요해질 수밖에 없다. 기후의 변화를 예측하고 대응 방안을 연구하는 '기후 변화 전문가'와 미래형 친환경 도시 농장을 개발하고 관리하는 '스마트 팜(smart farm) 전문가' 등의 직업에 주목해야 할 것이다.

의료·복지 분야

이미 전 세계는 고령화 사회에 들어섰으며 평균 수명도 나날이 길어지고 있다. 의료 기술의 발달로 노인 인구가 많아지면서 직업의 변화 또한 빠르게 일어나고 있는데, 미래에는 유전자(DNA) 검사가 지금보다 일반화되면서 유전자를 분석하고 그에 맞는 건강 관리 방법을 안내하는 '유전자 상담사'가 필요해질 것으로 전망된다. 또한, '노인 심리 상담사'와 '노인 스포츠 지도사'와 같은 직업도 더욱 인기를 끌 것으로 예상된다.

생활·여가 분야

기술의 발달로 업무 시간이 줄어들고 여가 시간이 많아졌을 뿐만 아니라 많은 돈과 시간을 쓰지 않고도 즐길 수 있는 것들이 많아지고 있다. 이러한 변화와 더불어 우리의 삶의 질을 높여 줄 새로운 직업도 등장하기 시작하였다. 사람들에게 다양한 문화와 여가 활동에 대한 정보를 제공하여 알찬 여가 시간을 보낼 수 있게 돕는 '문화 여가 전문가'가 많이 필요해질 것이다.

-는다는/ㄴ다는/다는 점에서 앞에 인용한 내용이 뒤의 판단에 근거가 됨을 나타낸다.

1. '-는다는/ㄴ다는/다는 점에서'를 사용해서 문장을 만들어서 말해 보십시오.

1) 이번 모임은 의미가 있다 •	• 동아리 회원 모두가 참가하다
2) 이번 연극은 새롭다 •	• 영화 속 시간이 거꾸로 흐르다
3) 이번 미술 전시회는 주목받다 •	• 필요한 정보를 쉽게 검색할 수 있다
4) 인터넷은 편리하다 •	• 관객들이 직접 연극에 출연하다
5) 그 영화는 특별하다 •	• 세계적인 화가의 작품을 전시하다

이번 모임은 동아리 회원 모두가 참가했다는 점에서 의미가 있어요.

2. '-는다는/ㄴ다는/다는 점에서'를 사용해서 문장을 바꿔 보십시오.

무엇	판단	판단 근거
1) 이 케이크	특별하다	자연 재료만 사용해서 만들다
2) 두 사람	서로 비슷하다	만화책을 좋아하다
3) 이번 결정	좋은 평가를 받다	회사 이미지에 도움이 되다
4) 고양이	개와 다르다	혼자 있는 것을 좋아하다
5) 이번 발견	사람들의 관심을 받다	세계 최초이다

이 케이크는 자연 재료만 사용해서 만들었다는 점에서 특별하다.

3. '-는다는/ㄴ다는/다는 점에서'를 사용해서 이야기해 보십시오.

한국어는 높임말과 반말이 있다는 점에서 배우기 어려워요.

한국어는 읽고 쓰기 쉬운 한글을 사용한다는 점에서 배우기 쉬워요.

1) 한국어
• 배우기 쉽다
• 배우기 어렵다

2) 그 영화
• 흥미롭다
• 흥미롭지 않다

3) 휴대폰
• 공부에 도움이 되다
• 공부에 도움이 안 되다

-(으)ㄴ 결과 앞에 나오는 일을 한 후에 뒤의 내용의 결과로 마무리되었다는 것을 나타낸다.

1. '-(으)ㄴ 결과'를 사용해서 문장을 만들어서 말해 보십시오.

1) 새벽 비행기를 타다 •	• 아침 일찍 제주도에 도착하다
2) 오랫동안 치료를 받다 •	• 제품 판매량이 늘다
3) 선수들이 최선을 다하다 •	• 병이 다 낫다
4) 제품 홍보를 열심히 하다 •	• 전기 자전거를 살 수 있다
5) 두 달 동안 아르바이트를 해서 돈을 모으다 •	• 경기에서 이기다

새벽 비행기를 탄 결과 아침 일찍 제주도에 도착했어요.

2. '-(으)ㄴ 결과'를 사용해서 문장을 만들어 보십시오.

매일 한국어 뉴스를 듣다
→ 매일 한국어 뉴스를 들은 결과 한국어 듣기 실력이 좋아졌다.

1) 아침 일찍 일어나서 청소를 하다

→ ....

2) 시험 전날까지 게임을 하다

→ ....

3) 일주일 동안 매일 밤 라면을 먹고 자다

→ ....

4) 포기하지 않고 끝까지 노력하다

→ ....

3. 어떤 과정 끝에 다음의 결과로 마무리되었는지를 '-(으)ㄴ 결과'를 사용해서 써 보십시오.

매일 한 시간씩 걷기 운동을 한 결과 몸이 건강해졌다.

1) 몸이 건강해지다
2) 시험에 합격하다
3) 행복해지다
4) 회사에 취직하다

1. 다음과 같이 문장을 만들어서 말해 보십시오.

1) 의사 •	• 많은 사람의 생명을 구하다
2) 사진작가 •	• 새로운 물건을 발명하다
3) 발명가 •	• 인간의 한계에 도전하다
4) 운동선수 •	• 훌륭한 예술 작품을 남기다
5) 제약 회사 •	• 백신을 개발하다

의사는 많은 사람의 생명을 구할 수 있어요.

2. 다음에서 알맞은 말을 골라 문장을 만들어서 말해 보십시오.

위기	평화	남기다	기여하다	실천하다

1) 전쟁이 끝나고 마을에 ________________ 찾아왔다.
2) 뉴턴은 새로운 법칙을 발견하여 과학 발전에 크게 ________________.
3) 계획을 세운 후에는 그것을 ________________ 것이 중요하다.
4) 회사 상황이 힘들었지만 직원들이 힘을 모아서 ________________ 잘 극복했다.
5) 사람들에게 좋은 인상을 ________________ 싶으면 밝게 웃는 것이 좋다.

3. 다음과 같이 사진에 대해 이야기해 보십시오.

노인이 생활하는 데에 도움을 주는 로봇을 발명했어요.

1) 

2) 

3) 

1. 다음 대화를 잘 듣고 질문에 답하십시오.

1) 이곳은 무엇을 기념하여 만들어진 광장입니까?

2) 가운데 있는 동상은 누구의 동상입니까?

3) 들은 내용과 같으면 ○, 다르면 × 표시를 하십시오.

① 가운데 있는 사람이 왕일 때 나라가 가장 넓은 땅을 가지고 있었다. ( )

② 가운데에서 왼쪽에 있는 사람은 훌륭한 장군이었다. ( )

2. 우리 주변에서 볼 수 있는 존경할 만한 사람들에 대해 이야기해 보십시오.

1) 주변에 존경할 만한 사람이 있습니까?

2) 그 사람은 어떤 사람입니까?

3) 어떤 점에서 존경할 만합니까?

저는 소방관들을 볼 때마다 존경스러워요. 하루에도 몇 번씩 화재 현장에 출동하고, 모두가 무서워하는 불 속에 들어가서 사람들의 생명을 구하잖아요. 항상 위험한 상황 속에서도 다른 사람들을 구하기 위해 노력한다는 점에서 존경할 만하다고 생각해요.

1. 다음 글을 읽고 질문에 답하십시오.

자기 소개서

1. 성장 과정

⋮

4. 존경하는 인물

제가 가장 존경하는 인물은 일론 머스크입니다. 그는 실패를 두려워하지 않고 끊임없이 도전하는 사람입니다. 그는 지금 세 개의 회사를 만들어서 운영하고 있습니다. 이 세 회사는 완전히 다른 회사처럼 보입니다. 그러나 이 회사들은 같은 목표를 가지고 있습니다. 바로 인류의 미래를 위한 도전이라는 것입니다. 그는 지구에 환경 오염이나 질병 같은 많은 문제들이 있다고 생각합니다. 그래서 인류를 보호하기 위해서 화성에 도시를 건설하려고 합니다. 우주에 도시를 건설하기 위해서는 많은 돈이 필요합니다. 특히 우주선을 발사할 때 사용하는 로켓 장치는 한 번만 사용할 수 있습니다. 이 비용을 줄이기 위해 노력한 결과 로켓 장치를 다시 사용하는 기술을 개발하는 데 성공했습니다. 그는 이렇게 끊임없이 도전하여 의미 있는 결과를 만들어 냈다는 점에서 배울 것이 많은 인물입니다.

신명회사 영업팀에서 일하기 위해서는 무엇보다 도전 정신이 필요할 것입니다. 저도 일론 머스크처럼 도전하는 자세로 열심히 일해서 신명회사 영업팀에 꼭 필요한 사람이 되도록 노력하겠습니다.

1) 일론 머스크는 몇 개의 회사를 운영하고 있습니까?

2) 일론 머스크가 운영하는 회사들의 공통된 목표는 무엇입니까?

3) 이 사람은 일론 머스크가 어떤 점에서 배울 만하다고 생각합니까?

2. 여러분이 존경하는 인물에 대해 위 글과 같이 써 보십시오.

자기 소개서

1. 성장 과정

⋮

4. 존경하는 인물

20세기를 빛낸 사람들

플로렌스 나이팅게일 | 간호사

최초의 근대식 간호 학교를 설립하고 간호사의 사회적인 인식을 높이는 데 기여하였다. 위생 관리와 영양 공급, 정서적 안정을 강조한 '근대 간호학'의 창시자이며 병원 환경을 개선하는 데에도 앞장선 인물이다.

스티브 잡스 | 기업가, 애플사(社)의 창업자

매킨토시 컴퓨터로 성공을 거두었지만 회사 내부 사정으로 잠시 회사를 떠나 있었다. 그러다 다시 회사로 돌아와서 애플 CEO로 활동하였다. 아이폰, 아이패드를 출시하면서 위기였던 회사를 IT업계 1위에 올려놓았다.

파블로 피카소 | 화가

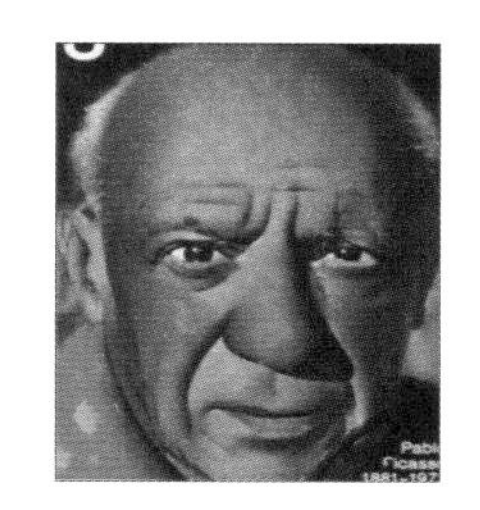

입체주의라는 독특한 그림 스타일을 만들어 내면서 20세기 미술을 대표하는 화가가 되었다. 현대 미술의 역사에서 가장 천재적인 화가로 꼽힌다. 대중성과 작품성을 동시에 가지고 있는 예술가이다. 동시대는 물론 후대의 미술가들에게도 많은 영향을 주었다.

지그문트 프로이트 | 정신분석학자, 심리학자, 의사

정신과 의사이며, 의학자이며, 생리학자이며, 심리학자이며, 철학자이다. 정신분석학을 처음 시작한 사람이며, 인간의 무의식을 최초로 발견한 사람이기도 하다. 20세기 철학과 사상의 역사에서 빼놓을 수 없는 중요한 학자이다.

마리 퀴리 | 물리학자, 화학자

남편 피에르 퀴리와 함께 방사능 연구를 하여 새로운 방사성 원소인 폴로늄과 라듐을 발견하였다. 라듐의 발견으로 방사능 물질에 대한 연구가 더 발전하였다. 많은 과학자들이 자유롭게 라듐을 연구할 수 있도록 하기 위해 특허도 내지 않았다.

라이트 형제 | 비행기 제작자, 비행사

처음으로 동력 비행기를 타고 하늘을 날았던 오빌 라이트와 윌버 라이트 형제이다. 어렸을 때부터 비행에 관심이 많았던 형제는 열심히 비행기를 만들어서 비행 실험을 하였다. 여러 번 실패했지만 포기하지 않고 노력한 결과 비행에 성공할 수 있었다.

-(으)ㄹ수록 앞에 나오는 상황이나 정도가 점점 심해지고 그에 따라 뒤에 나오는 내용도 점점 변화함을 나타낼 때 쓴다.

1. 다음에서 알맞은 말을 골라 '-(으)ㄹ수록'을 사용해서 문장을 완성해 보십시오.

익다	많다	배우다	크다

1) 벼는 .... 고개를 숙인다.

2) 꿈이 .... 이루기 위해서 많은 노력이 필요하다.

3) 태권도는 .... 재미있는 운동인 것 같다.

4) 학생들의 스마트폰 사용 시간이 .... 학교 성적이 떨어진다.

2. '-(으)ㄹ수록'을 사용해서 문장을 만들어 말해 보십시오.

1) 나이가 들다 •	• 바람이 강하게 불다
2) 집값이 오르다 •	• 쓰레기 처리 문제가 심각해지다
3) 과학 기술이 발달하다 •	• 고향이 그리워지다
4) 태풍이 가까이 오다 •	• 인간의 삶이 편리해지다
5) 일회용품 사용이 늘어나다 •	• 시민들의 생활이 어려워지다

나이가 들수록 고향이 그리워져요.

3. 다음 그래프를 보고 '-(으)ㄹ수록'을 사용해서 이야기해 보십시오.

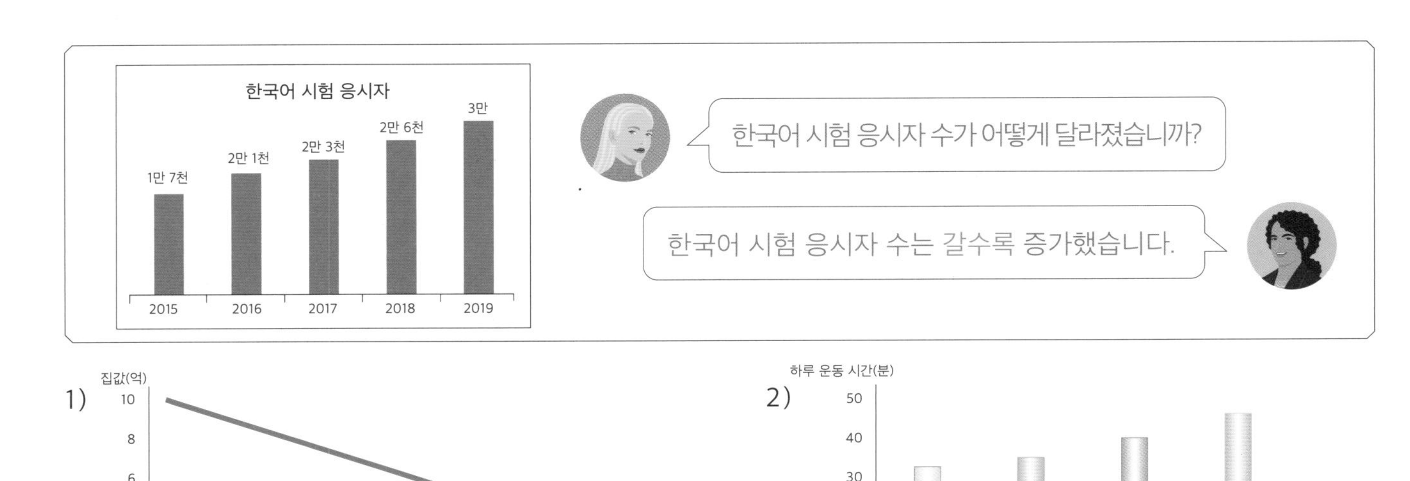

-(으)나 앞에 나오는 내용과 뒤에 나오는 내용이 반대되는 내용임을 나타낸다.

1. 다음에서 알맞은 말을 골라 '-(으)나'를 사용해서 문장을 완성해 보십시오.

공부하다	부르다	되다	지나다	작다

1) 10년이 .... 그의 얼굴은 크게 달라지지 않았다.

2) 그는 열심히 .... 시험에 합격하지 못했다.

3) 그 가수는 노래를 잘 .... 춤은 잘 추지 못한다.

4) 그 선수는 키가 .... 발이 빨라서 최고의 농구 선수가 되었다.

5) 겨울이 .... 날씨가 춥지 않았다.

2. 다음과 같이 '-(으)나'를 사용해서 문장을 만들어 말해 보십시오.

1) 서울에는 비가 왔다 •	• 청년 인구는 줄어들었다
2) 예전에는 경제가 어려웠다 •	• 피해는 크지 않았다
3) 태풍이 지나갔다 •	• 지금은 경제가 크게 발전했다
4) 노인 인구는 증가했다 •	• 아직도 문학에 대해 잘 모르다
5) 문학을 전공했다 •	• 부산에는 오지 않았다

서울에는 비가 왔으나 부산에는 오지 않았다.

3. '-(으)나'를 사용해서 문장을 완성해 보십시오.

1) 예전에는 .... 요즘은 긴치마가 인기가 많다.

2) 호텔이 .... 방이 작아서 불편했다.

3) .... 교실에 늦게 도착했다.

4) .... 요즘은 자전거를 타고 출근한다.

1. 다음에서 알맞은 말을 골라 문장을 완성해 보십시오.

달라지다	늘어나다	점점	감소하다	급격히

1) 시골로 이사를 오니까 내 생활도 ______________________.

2) 과학 기술이 발달하면서 휴대폰의 기능이 ______________________ 더 다양해지고 있다.

3) 갑자기 날씨가 추워지면서 수영장을 찾는 사람들이 ______________________.

4) 요즘 야식을 많이 먹어서 ______________________ 살이 쪘다.

5) 농촌의 인구는 감소했으나 도시의 인구는 ______________________.

2. 다음에서 알맞은 말을 골라 그림을 표현해 보십시오.

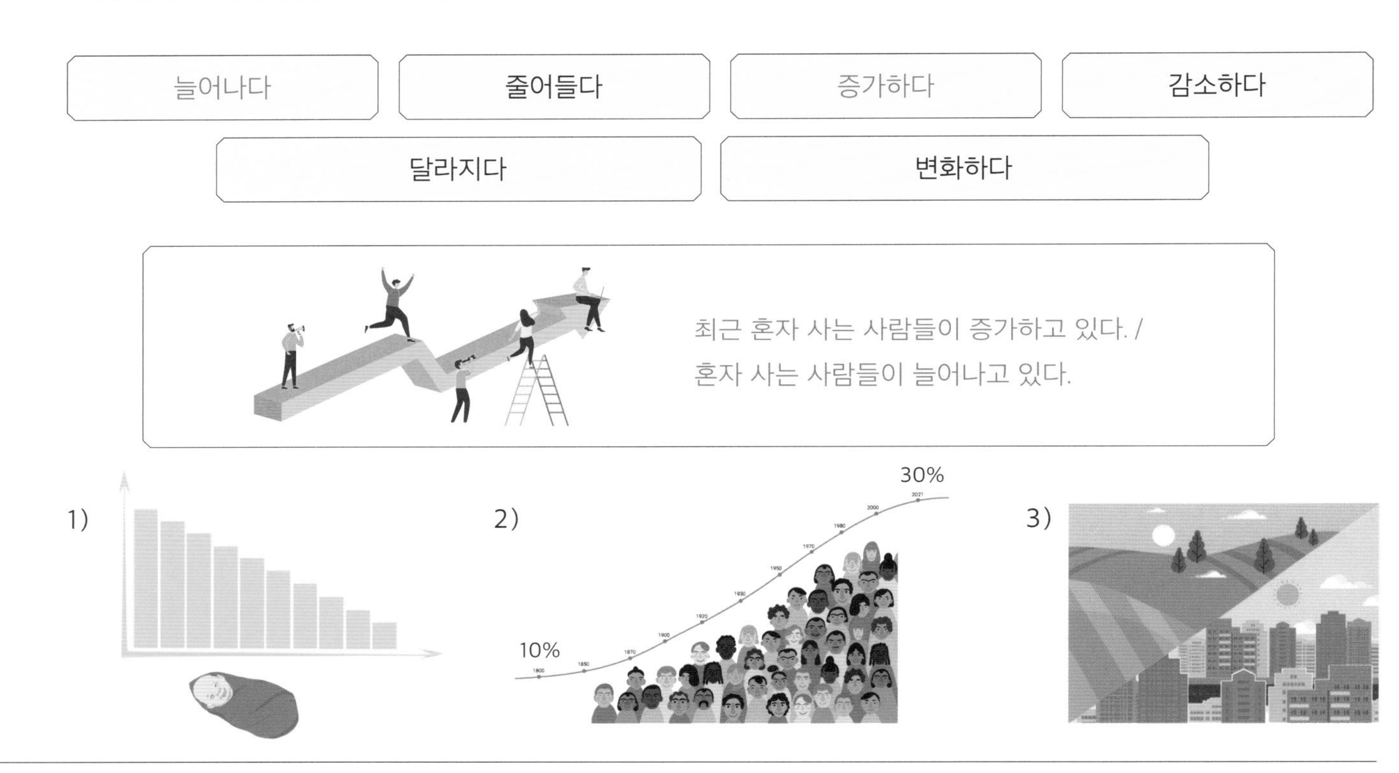

3. 여러분이 배운 표현을 활용해서 변화하고 있는 것에 대해 이야기해 보십시오.

1) 늘어나거나 증가하고 있는 것은 무엇입니까?

2) 줄어들거나 감소하고 있는 것은 무엇입니까?

1. 다음 강연을 잘 듣고 질문에 답하십시오.

1) '이웃사촌'은 무슨 의미입니까?

2) 내용을 바탕으로 다음의 그래프를 완성해 보십시오.

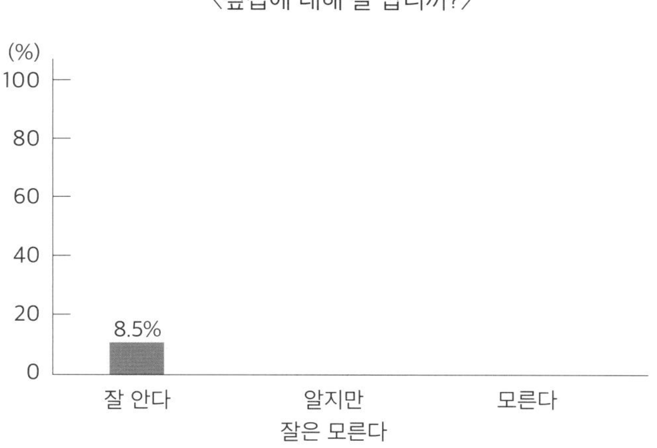

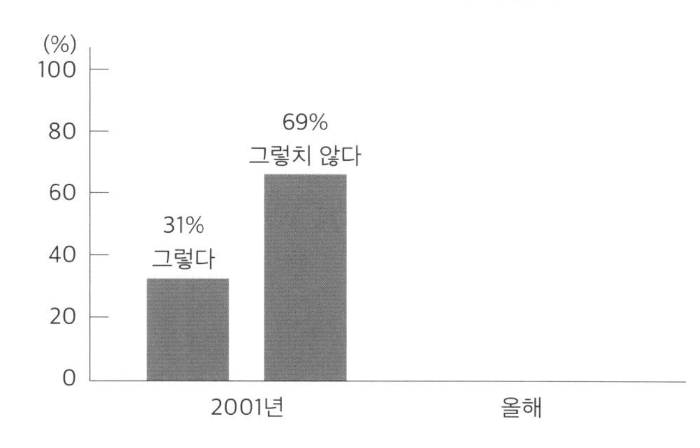

(조사 대상: 전국 성인 남녀 1,000명)

2. 위에서 완성한 그래프를 설명하는 글을 써 보십시오.

1. 다음 글을 읽고 질문에 답하십시오.

한국 국민 1,000명에게 "저녁 7시 이후 어떤 미디어를 즐겨 보거나 들으십니까?"라는 질문으로 설문 조사를 한 결과 57%가 '온라인 동영상 서비스'를 즐겨 본다고 답했다. '텔레비전'은 19%, '라디오'는 7%, '신문'이 5%, '아무것도 보지 않는다'가 12%였다.

이처럼 시간이 갈수록 텔레비전을 보는 사람들이 줄어들고, 온라인 동영상 서비스를 보는 사람들이 증가하고 있다. 과거에는 시청률 50%를 넘긴 텔레비전 드라마가 많았으나, 현재는 시청률 50%를 넘긴다는 것은 ㉠ '하늘의 별 따기'가 되었다. 보고 싶은 텔레비전 프로그램을 보기 위해 가족끼리 싸우던 모습도 이제는 더 이상 볼 수 없게 되었다. 컴퓨터나 스마트폰으로 각자 보고 싶은 영상을 볼 수 있기 때문이다. 과거 라디오가 텔레비전으로 대체된 것처럼 현재는 텔레비전이 온라인 동영상 서비스에 그 자리를 넘겨주고 있다.

1) 기사 내용을 바탕으로 다음의 그래프를 완성해 보십시오.

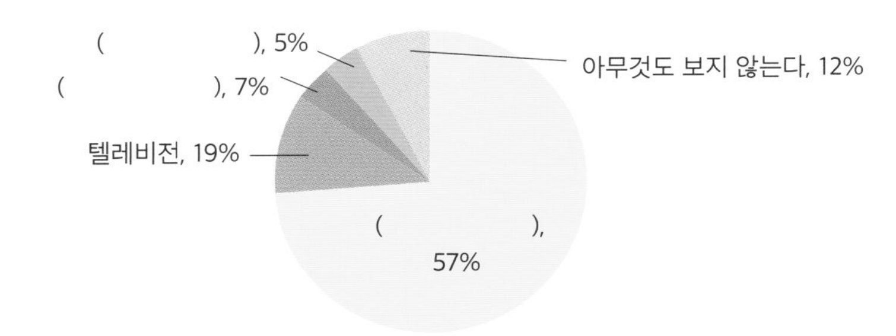

2) 읽은 내용과 같으면 ○, 다르면 × 표시를 하십시오.

① 과거에는 시청률 50%가 넘는 드라마가 많았다. ( )

② 최근에는 컴퓨터나 스마트폰으로 영상을 보는 사람이 많아졌다. ( )

③ 최근에는 라디오를 듣는 사람이 다시 늘어나고 있다. ( )

3) ㉠의 의미는 무엇입니까?

2. 우리 반 친구들이 많이 보는 미디어는 무엇인지 조사해 봅시다.

1) 다음의 질문을 이용해서 우리 반 친구들을 대상으로 조사를 해 보십시오.

여러분들은 하루에 다음의 미디어를 얼마나 오랫동안 봅니까?

① 온라인 동영상 서비스 ② 텔레비전 ③ 라디오 ④ 신문 ⑤ 아무것도 보지 않는다 ⑥ 기타

2) 조사 결과를 바탕으로 그래프를 그리고 그 내용을 발표해 보십시오.

우리 반 친구들의 미디어 시청에 대해서 조사한 결과, 온라인 동영상 서비스를 가장 많이 봤습니다.

1인 가구 증가가 만든 사회 변화

한국에서는 혼자 사는 1인 가구가 꾸준히 증가하고 있습니다. 혼자 사는 사람이 증가하면서 한국 사회에도 여러 가지 변화가 나타났습니다. 1인 가구의 증가로 나타난 한국 사회의 다양한 모습을 살펴봅시다.

소형 아파트의 인기

과거에는 방이 많은 큰 아파트가 인기를 끌었습니다. 가족이 각자의 공간을 가질 수 있도록 방이 많고 큰 집이 가격도 비싸고 찾는 사람이 많았습니다. 하지만 1인 가구가 증가하면서 큰 집보다는 혼자 살기에 편한 작은 집이 인기를 끌고 있습니다.

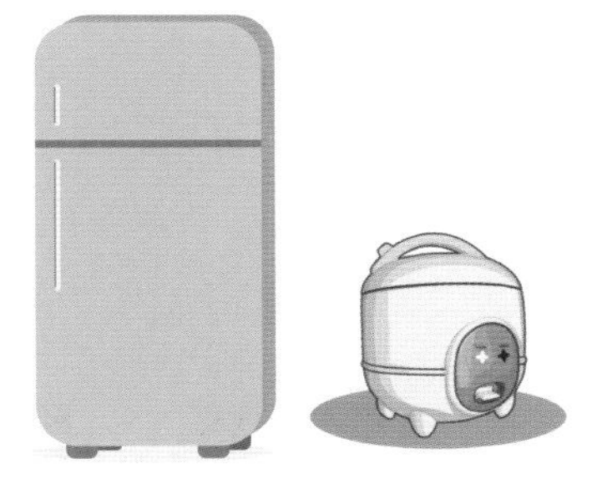

1인용 가전제품 인기

밥솥, 전자레인지, 냉장고 등의 가전제품은 생활을 편리하게 해 주는 물건들입니다. 가족이 많았던 시대에는 큰 가전제품이 인기를 끌었지만, 1인 가구가 증가하면서 가전제품의 크기도 작아졌습니다. 밥솥도 3인용 이하의 작은 크기가 인기를 끌고 있으며 냉장고도 크기가 작으면서도 디자인이 예쁜 제품이 큰 인기를 끌고 있습니다.

1인 가구 관련 신조어 등장

신조어는 새로운 사회 변화를 잘 보여 줍니다. 1인 가구가 증가하면서 그와 관련된 신조어들도 많이 생겨났습니다. '혼밥(혼자 먹는 밥)'을 시작으로 '혼술(혼자 마시는 술)', '혼영(혼자 보는 영화)'에 이어 '혼행(혼자 가는 여행)'까지 혼자서 즐기는 다양한 생활을 가리키는 신조어들이 많이 탄생하였습니다.

-는다고/ㄴ다고/다고 생각하다 앞에 나오는 자신의 생각이나 의견을 표현할 때 쓴다.

1. '-는다고/ㄴ다고/다고 생각하다'를 사용해서 문장을 바꿔 보십시오.

할아버지는 나이에 비해서 건강하다 → 할아버지는 나이에 비해서 건강하다고 생각해요.

1) 외국어를 배우는 것은 재미있다.

→ .

2) 전주는 여행 가기 좋은 도시이다.

→ .

3) 새로 개봉한 그 영화가 볼 만하다.

→ .

4) 구세대는 신세대보다 보수적이다.

→ .

2. '-는다고/ㄴ다고/다고 생각하다'를 사용해서 다음 상황에 대해 이야기해 보십시오.

도서관에서 컴퓨터 사용하기

저는 도서관에서 컴퓨터를 사용해도 괜찮다고 생각해요.

1) 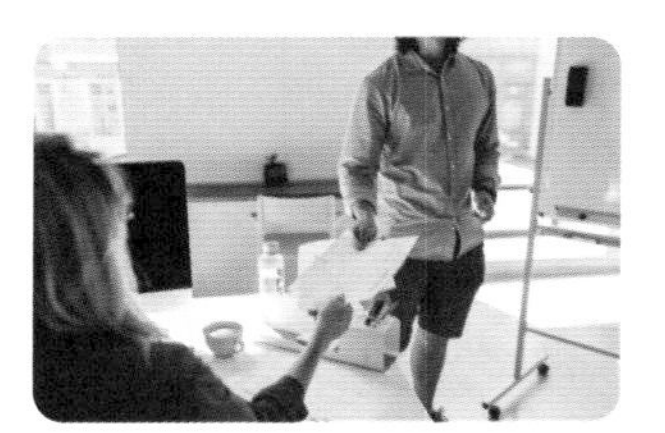

반바지 입고 회사에 출근하기

2)

대학생 때 부모님과 함께 살기

3) 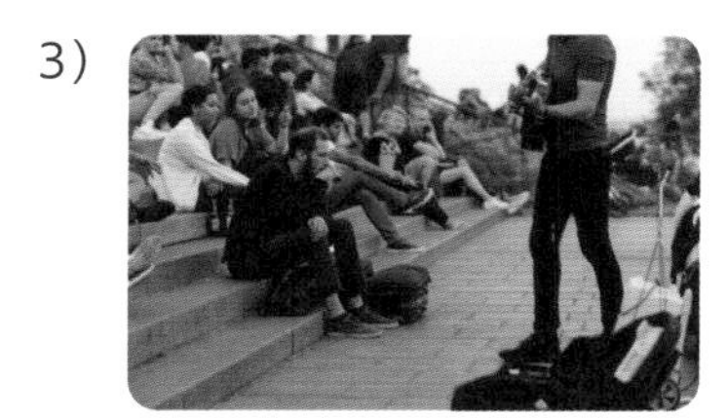

늦은 시간에 공원에서 노래 부르기

3. '-는다고/ㄴ다고/다고 생각하다'를 사용해서 이야기해 보십시오.

한국 음식은 우리 나라 음식에 비해서 맵다고 생각해요.

1) 한국 음식 2) 여행지 3) 직업 선택 기준 4) 집 선택 기준

-는/(으)ㄴ 거 아닐까 하다 앞에 나오는 자신의 생각이나 의견을 확실하지 않은 것처럼 약하게 표현할 때 쓴다.

1. '-는/(으)ㄴ 거 아닐까 하다'를 사용해서 문장을 만들어 말해 보십시오.

1) 날씨가 갑자기 추워지다 •	• 밤에 잠이 안 오다
2) 꾸준히 치료를 받다 •	• 손님이 늘다
3) 커피를 많이 마시다 •	• 건강이 회복되다
4) 인터넷 광고를 열심히 하다 •	• 전화를 받지 않다
5) 회사 일이 바쁘다 •	• 감기 환자가 많아지다

날씨가 갑자기 추워져서 감기 환자가 많아진 거 아닐까 해요.

2. '-는/(으)ㄴ 거 아닐까 하다'를 사용해서 문장을 완성해 보십시오.

시험에 합격하다
→ 매일 세 시간씩 공부를 해서 시험에 합격한 거 아닐까 해요.

1) 시험에 떨어지다
→ .

2) 회사에 취직하다
→ .

3) 건강이 나빠지다
→ .

4) 고향에 돌아가다
→ .

3. 다음 질문에 '-는/(으)ㄴ 거 아닐까 하다'를 사용해서 이야기해 보십시오.

1) ○○ 씨는 어떻게 한국어를 잘하게 되었을까요?

2) ○○ 씨가 왜 수업에 안 왔을까요?

1. 다음에서 알맞은 말을 골라 문장을 완성해 보십시오.

부작용이 생기다	적절하다	틀리다	찬성하다

1) 많은 사람들이 그의 의견에 ________________.
2) 갑자기 개혁을 실시하면 ________________ 수 있다.
3) 토론에서 이기기 위해서는 ________________ 이유를 제시해야 한다.
4) 나와 상대방이 생각이 다르다고 해서 나는 맞고 상대방은 ________________ 고 생각하면 안 된다.

2. '초등학생의 스마트폰 사용'에 대해 4명이 토론을 하고 있습니다. 다음에서 알맞은 말을 골라 토론의 상황을 표현해 보십시오.

(주노)
저는 초등학생이 스마트폰을 사용해도 된다고 생각합니다.

(수지)
저도 초등학생의 스마트폰 사용에 찬성합니다. 초등학생들은 스마트폰으로 공부하면 도움이 될 수 있습니다.

(안나)
저는 초등학생의 스마트폰 사용은 너무 빠르다고 생각합니다.

(유진)
초등학생이 스마트폰을 사용하면 눈 건강에도 좋지 않습니다.

찬성하다	동의하다	반대하다	장점이 있다	부작용이 있다

1) 주노 씨는 초등학생이 스마트폰을 사용하는 것에 찬성하고 있습니다.
2) 수지 씨는 주노 씨의 의견에 ________________ 있습니다.
3) 수지 씨는 초등학생이 스마트폰을 사용하는 것이 ________________ 고 생각합니다.
4) 안나 씨는 주노 씨의 의견에 ________________ 있습니다.
5) 유진 씨는 초등학생이 스마트폰을 사용하면 ________________ 고 생각합니다.

3. 배운 어휘를 사용해서 교실 CCTV 설치에 대한 토론 대화를 완성해 보십시오.

〈주제: 교실 CCTV 설치〉

저는 교실에 CCTV를 설치하는 것에 1) ________________. CCTV가 있으면 다른 사람의 물건을 가져가는 것을 막을 수 있습니다.

저도 안나 씨 의견에 동의합니다. CCTV를 설치하면 여러 가지 2) ________________.

저는 수지 씨의 의견에 3) ________________. 왜냐하면 CCTV를 교실에 설치하면 선생님이 학생들을 항상 감시할 수 있기 때문입니다.

저도 반대합니다. CCTV 영상을 나쁜 곳에 이용하는 등 여러 가지 4) ________________ 수 있습니다.

1. 다음 토론을 잘 듣고 질문에 답하십시오.

01

1) 두 사람은 무엇에 대해 의견을 이야기하고 있습니까?

2) 두 사람의 의견은 무엇인지, 왜 그렇게 생각하는지 아래 표에 정리해 보십시오.

	의견	이유
여학생		
남학생		

2. 여러분 나라에 있는 규칙에 대해 여러분의 의견을 이야기해 보십시오.

1) 그 규칙은 무엇입니까?

2) 여러분은 그 규칙에 대해서 어떻게 생각합니까?

3) 여러분과 의견이 다른 사람들은 왜 그렇게 생각합니까?

> 우리 고향에서는 개를 데리고 버스나 지하철을 탈 수 없습니다. 그래서 개를 데리고 이동을 할 때에는 택시를 타야 합니다. 버스나 지하철에는 사람들이 많이 있는데, 개를 무서워하는 사람들도 있으니까 탈 수 없게 한 거 아닐까 합니다. 하지만 저는 개나 고양이를 작은 가방에 넣고 타면 문제가 없다고 생각합니다.

1. 다음 글을 읽고 질문에 답하십시오.

올림픽 대회에 온라인 게임을 정식 종목으로 넣을 것인지에 대한 의견이 매우 다양하다. 온라인 게임을 정식 종목으로 넣는 것에 대해 찬성하는 사람들은 온라인 게임을 스포츠 경기 중의 하나라고 생각한다. 몸을 사용하지는 않지만 승패가 결정된다는 점에서 스포츠 경기라고 볼 수 있다는 것이다. 특히 2018년 자카르타 아시안 게임에서 온라인 게임이 시범 종목으로 포함되면서 게임을 정식 스포츠 경기로 바라보는 사람들이 증가하기 시작했다. 또한 여러 온라인 게임 대회가 열리면서 정식 스포츠 경기로서 게임을 생각하는 사람들이 점점 늘어나고 있다.

하지만 온라인 게임을 정식 종목에 넣는 것에 반대하는 사람들은 게임 회사에서 만든 게임은 축구나 농구 같이 몸을 움직이는 일반적인 스포츠 경기와는 다르다고 생각한다. 게임은 스포츠가 아니라 그저 놀이라고 생각하는 것이다. 앞으로도 온라인 게임을 정식 스포츠 경기로 인정할지 말지에 대한 논쟁이 계속될 전망이다.

1) 윗글에서는 무엇에 대한 논쟁을 다루고 있는지 고르십시오.

① 온라인 게임 대회는 왜 증가하였는가?
② 온라인 게임은 몸을 움직이는 스포츠 경기인가?
③ 온라인 게임을 정식 스포츠 경기로 인정할 것인가?
④ 온라인 게임을 스포츠 경기로 보는 사람들은 증가하였는가?

2) 위 문제에 대해 찬성하는 사람과 반대하는 사람의 의견과 이유를 정리해 보십시오.

찬성	의견: 이유:
반대	의견: 이유:

2. 여러분은 인터넷 게임에 대해 어떻게 생각하십니까? 자신의 의견을 써 보십시오.

1) 인터넷 게임은 정식 운동 경기입니까?

2) 그 이유는 무엇입니까?

한국 사람들이 의견을 활발하게 주고받는 온라인 공간

온라인 청원 사이트

한국에는 각 지방 자치 단체마다 시민의 의견을 듣기 위하여 운영하는 인터넷 사이트가 있다. 가장 대표적인 사이트는 서울시가 운영하는 '응답소'이다. 서울 시민들은 이곳에서 정책에 대한 자신의 의견과 주장을 자유롭게 표현한다. 경상남도의 '경남1번가'는 시민들의 정책 제안과 토론이 활발하게 이루어지고 있는 사이트이다. 그 밖에도 대구광역시의 '토크 대구', 광주광역시의 '바로소통광주' 등도 시민 참여가 활발한 온라인 청원 플랫폼이다.

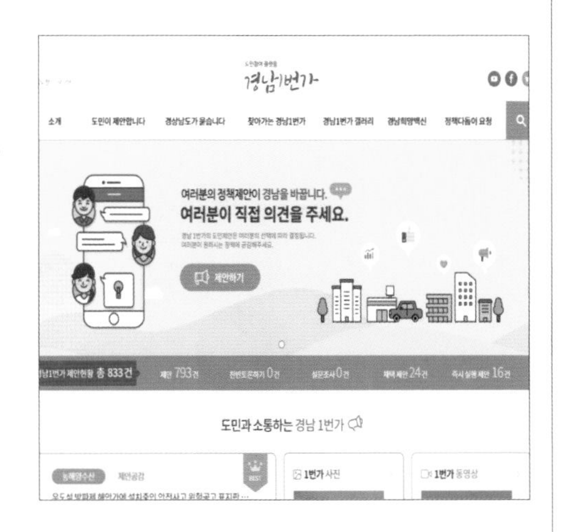

대학 커뮤니티 게시판

한국 대학교의 대부분은 재학생들이 서로 정보를 공유하며 소통할 수 있는 대학 커뮤니티가 있다. 이러한 커뮤니티를 통해 각 학교 학생들은 수업이나 취직 등의 정보를 공유하기도 하고 다양한 사회 문제에 대한 토론을 하기도 한다.

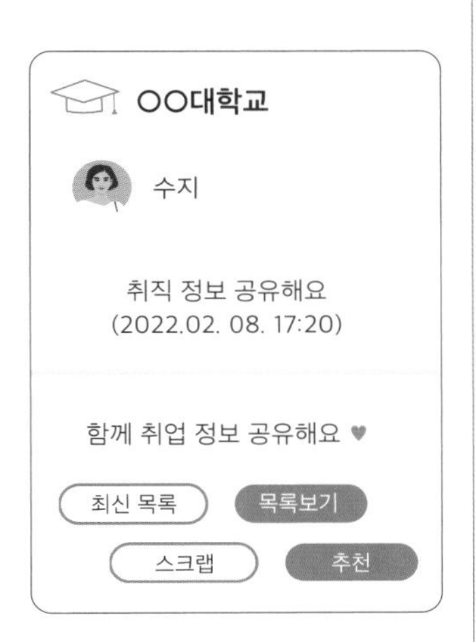

댓글 토론

신문 기사, 온라인 게시판 글, 개인의 에스엔에스(SNS)의 댓글을 통해서도 활발한 토론이 이루어진다. 특히 온라인 신문 기사에는 많은 사람들이 댓글을 통해 토론을 벌인다. 기사 내용에 대한 의견을 댓글로 남기고, 그 댓글에 대해 '대댓글'을 달아 활발한 토론을 하는 경우가 많다.

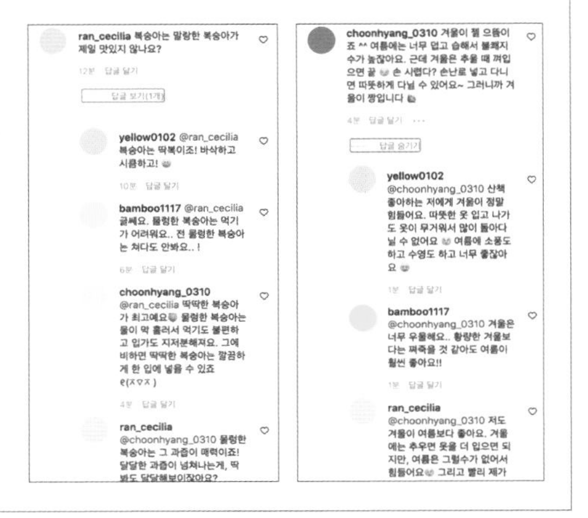

-지 않을까 싶다 미래의 불확실한 계획이나 상황을 표현할 때 쓴다.

1. '-지 않을까 싶다'를 사용해서 문장을 만들어서 말해 보십시오.

1) 지금 택시를 타다	길이 막히다
2) 영어 설명이 없다	오늘 야근을 해야 되다
3) 이 전시회는 주말에 가다	내용을 이해하기 어렵다
4) 선물에다가 편지도 같이 주다	사람이 너무 많다
5) 이 일이 빨리 해결되지 않다	수지 씨가 더 좋아하다

지금 택시를 타면 길이 막히지 않을까 싶어요.

2. '-지 않을까 싶다'를 사용해서 대화를 완성해 보십시오.

이 식당은 지금 예약하면 늦을까요?

네. 예약이 이미 다 마감되지 않았을까 싶어요.
(예약이 이미 다 마감되다)

1) 가: 다음 휴가 때 뭐 할 거예요?
나: 아직 생각 안 해 봤는데 ______________. (그냥 집에서 쉬다)

2) 가: 올해는 어떤 영화가 상을 받을까?
나: 나는 김은호 감독의 영화가 ______________. (상을 받다)

3) 가: 아까 로라 앞에서 우리가 말실수를 한 것 같아.
나: 응. 아무래도 ______________. (기분이 상하다)

4) 가: 민수 씨는 진 씨가 병원에 입원한 줄 몰랐나 봐요.
나: 그러니까요. 아까 소식을 듣고 ______________. (많이 놀라다)

3. 여러분은 미래에 무엇을 하고 있을지 '-지 않을까 싶다'를 사용해서 이야기해 보십시오.

저는 내일 이 시간에는 밀린 집안일을 하고 있지 않을까 싶어요.

1) 내일 이 시간 2) 다음 주 토요일 이 시간 3) 한 달 후 이 시간 4) 10년 후 이 시간

-기보다는 앞에 나오는 내용이 아니라 뒤에 나오는 내용을 선택함을 나타낼 때 쓴다.

1. '-기보다는'을 사용해서 대화를 완성해 보십시오.

어제 본 영화 어땠어요? 재미있었어요?

재미있기보다는 좀 슬펐어요.

(재미있다 < 슬프다)

1) 가: 아까 계단에서 넘어진 거 괜찮아요? 아프지 않았어요?
   나: ________________. (아프다 < 창피하다)

2) 가: 핸드폰으로 게임을 많이 해요?
   나: 아니요. ________________. (게임을 하다 < 에스엔에스(SNS)를 많이 보다)

3) 가: 시간이 많을 때 보통 뭐 해요? 친구들을 만나요?
   나: 아니요. 저는 ________________.
   (친구들을 만나서 놀다 < 취미 활동을 하면서 시간을 보내다)

4) 가: 인터넷에 정보가 많이 있겠지요?
   나: ________________ 것이 나을 거예요.
   (인터넷에서 정보를 찾다 < 도서관에 가서 책을 찾아보다)

2. '-기보다는'을 사용해서 문장을 만들어 보십시오.

저, 스트레스, 쌓아 두다, 바로 푸는 편이다 → 저는 스트레스를 쌓아 두기보다는 바로 푸는 편이에요.

1) 저, 운전, 힘들다, 즐겁다
   → ________________.

2) 저, 돈, 통장에 모으다, 주식에 투자하다
   → ________________.

3) 저, 생일, 친구들과 파티를 하다, 가족들과 시간을 보낼 것이다
   → ________________.

4) 저, 방학, 아르바이트를 하다, 컴퓨터 자격증을 따고 싶다
   → ________________.

3. '-기보다는'을 사용해서 문장을 완성해 보십시오.

고민	다른 사람과 의논하다
	혼자 해결하다

저는 고민이 있을 때 다른 사람과 의논하기보다는 혼자 해결하는 편이에요.

1) 후회되는 일	계속 생각하다
	금방 잊어버리다

2) 여행을 할 때	정해진 계획대로 움직이다
	그때그때 하고 싶은 대로 하다

1. 다음에서 알맞은 말을 골라 그림 속 사람의 상황을 표현해 보십시오.

진학하다	출산하다	가정을 이루다	아이를 기르다

1) 

2) 

3) 

4) 

2. 다음에서 알맞은 말을 골라 기사 제목을 완성해 보십시오.

도전	독립	은퇴	노후

1) **"취업 시기가 늦어지면서 부모로부터의 완전한 ______________ 늦어지고 있다."**

2) **"______________ 후에도 일하는 60대 증가"**

3) **"직장을 그만두고 창업에 ______________ 하는 2030세대가 늘고 있다."**

4) **"______________ 준비, 30대부터 시작해야 편안한 노년 보낼 수 있다!"**

3. 다음과 같이 이야기해 보십시오.

저는 언젠가 국토 대장정에 도전해 보고 싶어요.

1) 꼭 살아 보고 싶은 곳
2) 진학하고 싶은 학교
3) 입사하고 싶은 회사
4) 창업하고 싶은 직종
5) 이루고 싶은 가정

1. 다음 대화를 잘 듣고 질문에 답하십시오.

1) 진 씨는 어떤 일을 시작했습니까?

2) 진 씨의 다음 목표는 무엇입니까?

2. 다음 글을 읽고 질문에 답하십시오.

대한민국 직장인이 향후 5년 내에 반드시 이루고 싶은 인생 목표는?

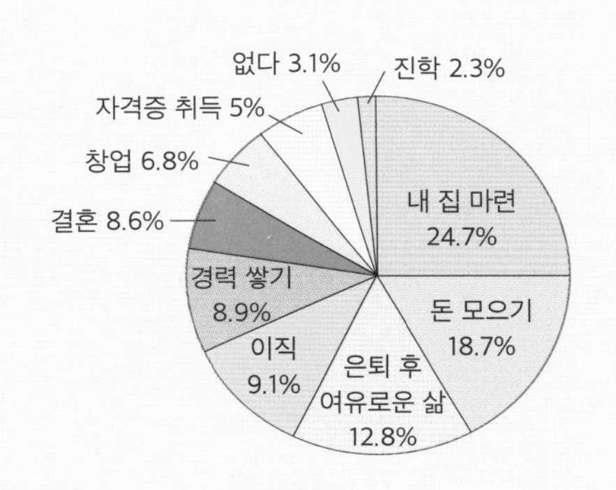

최근 대한민국 직장인 2,000명을 대상으로 5년 내에 반드시 이루고 싶은 인생 목표에 대해 조사한 결과 '내 집 마련(24.7%)'이 1위에 꼽혔다. 다음으로는 '돈 모으기(18.7%)', '은퇴 후 여유로운 삶(12.8%)', '이직(9.1%)', '경력 쌓기(8.9%)', '결혼(8.6%)', '창업(6.8%)', '자격증 취득(5%)', '없다(3.1%)', '진학(2.3%)'의 순이었다.

'이루고 싶은 목표가 없다'라고 답한 직장인에게 그렇게 생각하는 이유에 대해서도 물어보았는데, '어차피 인생은 원하는 대로 되지 않아서'가 31.7%로 가장 높게 나타났다. 이어 '목표를 세워도 달라지는 게 없지 않을까 싶어서(26.7%)', '생활이 바빠서 생각할 여유가 없어서(15%)', '내가 무엇을 원하는지 잘 몰라서(15%)', '목표를 세울 필요성을 못 느껴서(11.6%)'라는 답변이 뒤를 이었다.

한편, 삶의 만족도에 영향을 미치는 가장 큰 요소에 대해서는 응답자의 반 이상인 64.2%가 '경제적 여유'를 꼽았으며, '시간적 여유(11.8%)', '원하는 직업을 갖는 것(8%)', '좋은 배우자(4.2%)', '내 소유의 부동산(2.9%)', '좋은 직장(2.9%)', '대인 관계(2.7%)' 등이 뒤따랐다.

1) 윗글의 내용과 다른 것을 고르십시오.

① 이 조사에는 2,000명의 직장인이 참여하였다.

② 5년 내에 집을 사고 싶어 하는 직장인이 가장 많았다.

③ 목표가 없는 이유 중 가장 많은 것은 '바쁘기 때문'이었다.

④ 삶에서 경제적인 여유를 중요하게 생각하는 직장인이 가장 많았다.

2) 여러분의 삶의 만족도에 가장 큰 영향을 미치는 것은 무엇입니까?

1. 5년 내에 반드시 이루고 싶은 인생 목표를 친구들과 같이 이야기해 보십시오.

1) 5년 내에 반드시 이루고 싶은 목표가 무엇입니까?

2) 그 목표를 이루기 위해 어떤 노력을 할 계획입니까?

2. 여러분이 5년 내에 반드시 이루고 싶은 목표와 그 목표를 이루기 위한 계획을 글로 써 보십시오.

인생에 정답이 있나요?

행복한 인생은 어떤 모습일까? 행복이 무엇인지 쉽게 대답할 수 없듯이 인생에도 정답은 없다. 다양한 인생의 모습을 살펴보면서 내가 원하는 인생의 목표와 방향성이 무엇인지 생각해 보자.

학교에 꼭 진학해야 할까?

학교는 다양한 지식과 감정, 능력을 발달시킬 수 있는 전문 교육 기관이다. 학교에서 또래 친구들과 함께 공부하고 생활하며 배울 수 있는 것이 많지만 최근에는 학교에 다니지 않는 청소년들도 늘고 있다. 학교 밖에서 다양한 지식과 경험을 쌓으며 자신만의 길을 찾는 청소년들이 증가하고 있다.

가정을 꼭 이루어야 할까?

결혼을 통해 가정을 이루고 배우자와의 사이에서 태어난 아이를 기르며 사는 사람들도 많지만 1인 가구, 입양 가족, 한 부모 가족, 비혼 동거 가족 등 다양한 형태의 가족이 점차 증가하고 이들을 대하는 사회의 태도 또한 달라지고 있다.

반드시 좋은 회사에 입사해야 할까?

좋은 회사에 입사해 안정적으로 일하고 싶어 하는 사람들이 있는 반면, 파트타임(part time)으로 일하며 보다 자유롭게 살거나 창업이나 개인 방송, 앱 개발 등과 같은 새로운 일에 도전하는 사람들도 꾸준히 증가하고 있다.

반드시 60대에 은퇴해야 할까?

직장인들의 은퇴 시기와 은퇴 후의 삶이 점차 다양해지고 있다. 30대 후반이나 40대 초중반에 은퇴하기 위해 어린 나이부터 돈을 열심히 모으는 사람들이 많아졌으며, 은퇴 후에 새로운 직업을 가지거나 기술을 배우는 등 다양한 방식으로 제2의 삶을 즐기는 사람들이 증가하고 있다.

-는다니/ㄴ다니/다니 앞에 나오는 뜻밖의 내용에 대해 놀라움이나 감탄을 표현할 때 쓴다.

1. '-는다니/ㄴ다니/다니'를 사용해서 대화를 완성해 보십시오.

1) 가: 두 사람이 헤어졌대요.

나: 참 잘 어울렸는데 .... ! 너무 안타깝네요.

2) 가: 유진 씨가 자격증 시험에 합격했어요.

나: 그 어려운 시험에 .... ! 정말 축하할 만한 일이네요.

3) 가: 아니, 벌써 11시예요?

나: 어머나, 벌써 .... ! 빨리 끝내고 자야겠어요.

4) 가: 범인은 바로 주인공이었어요.

나: 세상에, 주인공이 .... ! 전혀 생각 못 했어요.

2. 그림 속 사람들의 생각을 '-는다니/ㄴ다니/다니'를 사용해서 이야기해 보십시오.

사람이 정말 많구나!

와! 사람이 이렇게 많다니!

1) 건물이 정말 높네!

2)

물건이 참 싸네!

3) 쇼핑할 곳이 정말 많은 거 같아!

4)

이게 뭐지? 정말 맛있다!

3. 다음과 같은 상황에서 할 만한 대화를 '-는다니/ㄴ다니/다니'를 사용해서 만들어 보십시오.

1) 쇼핑을 갔는데 편하고 멋진 운동화가 5,000원밖에 안 한다. → ....

2) 등산을 해서 산 정상에 올라갔는데 풍경이 너무 멋있다. → ....

3) 순간 이동 기술이 개발되었다는 뉴스를 들었다. → ....

-기를 바라다 앞에 나오는 내용이 일어나기를 희망한다는 것을 표현할 때 쓴다.

1. 다음과 같은 상황에서 바라는 것을 '-기를 바라다'를 사용해서 문장을 만들어 보십시오.

1) 친구가 교통사고를 당해서 병원에 입원했다.

→ ....

2) 요즘 경제가 너무 안 좋다.

→ ....

3) 친구와 오해가 생겨서 사이가 안 좋아졌다.

→ ....

4) 진 씨가 사업을 시작했다.

→ ....

2. 다음의 사람들에게 여러분들이 바라는 것을 '-기를 바라다'를 사용해서 이야기해 보십시오.

1) 

결혼을 앞두고 있는 주노 씨

2) 

회사에 입사할 예정인 유진 씨

3) 

유학을 가는 안나 씨

4) 

얼마 전 아이가 생긴 민수 씨

3. 다음과 같이 친구에게 바라는 것을 이야기해 보십시오.

앞으로도 자주 만날 수 있기를 바라요.

계속 한국어 공부 열심히 하기를 바라요.

1. 다음에서 알맞은 말을 골라 문장을 완성해 보십시오.

믿기지 않다	마음이 설레다	아쉽다	홀가분하다

1) 몇 개만 더 맞았으면 시험에 합격했을 텐데. 너무 ________________.

2) 내일 기다리고 기다리던 여행을 갈 거예요. ________________ 잠이 안 와요.

3) 드디어 시험이 끝났어요. 정말 ________________.

4) 벌써 10년이 지났다니! ________________.

2. 배운 어휘 중에서 다음의 상황에서 느낄 수 있는 감정을 모두 써 보십시오.

글쓰기 대회에서 상을 받게 되었다	일하고 싶었던 회사에 합격했다	오랫동안 준비했던 시험이 끝났다	애인과 헤어지게 되었다
믿기지 않다			

3. 여러분은 다음과 같은 감정을 언제 느꼈어요? 다음을 보고 여러분의 경험을 이야기해 보십시오.

믿기지 않다	꿈만 같다	아쉽다
마음이 설레다	홀가분하다	몸 둘 바를 모르겠다
시원섭섭하다	걱정이 앞서다	눈물이 앞을 가리다

저는 고등학생 때 정말 열심히 공부했어요. 그리고 제가 원하는 대학에 합격했다는 소식을 들었을 때 믿기지 않았어요.

1. 다음 글을 읽고 질문에 답하십시오.

열정소년들 공민

여러분 모두에게 감사드립니다. 우리가 이 상을 받다니! 모두 팬 분들 덕분입니다. 언제나 우리를 응원해 주셨던 많은 팬 분들…. 여러분들에게 제 마음을 ㉠ 어떻게 다 표현할 수 있을지 모르겠습니다. 앞으로 더 열심히 하겠습니다!

10시간 전

열정소년들 유림

여러분, 정말 감사합니다!!! 10년 전 저희가 데뷔했을 때가 생각납니다. 그때는 꿈에도 생각하지 못했는데, 이런 일이 일어나다니! 오늘은 제 소원이 이루어진 날입니다. 오늘 밤은 영원히 기억에 남을 것 같습니다. 앞으로 더 좋은 모습 보여 드릴게요!!

10시간 전

1) 윗글의 내용과 맞는 것을 고르십시오.

① '열정소년들'이 팬들에게 답장을 썼다.
② '열정소년들'이 상을 받은 후에 이 글을 썼다.
③ '열정소년들'이 공연을 마친 후 소감을 전했다.
④ '열정소년들'이 데뷔 10주년을 맞아 소감을 썼다.

2) ㉠에서 표현하고자 하는 감정은 무엇인지 고르십시오.

① 당황하고 있다.
② 응원하고 있다.
③ 걱정하고 있다.
④ 고마워하고 있다.

2. 다음 대화를 잘 듣고 질문에 답하십시오.

01

1) 해리 씨는 일주일 동안 무엇을 했습니까?

2) 해리 씨가 느낀 내용이 아닌 것을 고르십시오.

① 봉사 활동을 할 때는 힘들었다.
② 피해를 입은 마을을 보고 놀랐다.
③ 봉사 활동을 열심히 하지 못한 것을 후회한다.
④ 봉사 활동 후에 마을의 모습이 변한 것이 기뻤다.

1. 여러분의 인생에서 기억에 남는 일에 대해 소감을 이야기해 보십시오.

1) 살면서 기억에 남는 일은 무엇이었습니까?

2) 그 일이 왜 기억에 남습니까?

3) 그 일에 대한 소감은 어떻습니까?

4) 기억에 남는 일에 대한 소감을 발표해 보십시오.

2. 에스엔에스(SNS)에 여러분의 졸업 소감을 써 보십시오.

오랫동안 남을 수상 소감

상을 받는 가장 기쁜 순간, 많은 사람들에게 감동을 주는 수상 소감이 있다. 오랫동안 기억될 감동의 수상 소감을 여기에 담았다.

2022년 제75회 칸영화제 감독상 수상

박찬욱

"최근 코로나19로 우리 인류가 단일한 공포와 근심을 공유하게 되었습니다. 손님이 끊긴 영화관을 보면서 영화관이 얼마나 소중한 곳이었는지 깨달았습니다. 인류가 이 질병을 이겨낼 힘을 얻는 것처럼 우리 영화인 역시 영화관을 함께 지켜낼 수 있기를 바랍니다."

2021년 제93회 아카데미 시상식 여우조연상

윤여정

"저는 경쟁을 믿지 않습니다. 우리 다섯 명은 각자 다른 영화에서 다른 역할을 연기했고, 모두가 각 영화의 승리자들입니다. 단지 오늘 밤 저는 운이 좀 더 좋아서 여기 있을 뿐입니다. 또 어쩌면 이게 한국인 배우에 대한 미국식 환대일까요? 그리고 저를 밖에 나가서 일하게 만든 두 아들에게 감사하고 싶습니다."

2019년 제55회 백상예술대상 대상 수상

김혜자

"저는 출연한 드라마의 마지막 대사로 감사의 뜻을 표하겠습니다.
내 삶은 때론 불행했고 때론 행복했습니다. 삶은 꿈과 같다고 하지만 그럼에도 살아서 좋았습니다.
(생략)
지금 삶이 힘든 당신. 이 세상에 태어난 당신은 이 모든 걸 누릴 자격이 있습니다. 대단하지 않은 하루가 지나고 또 별 거 아닌 하루가 온다고 해도 인생은 살 가치가 있습니다.
후회만 가득한 과거와 불안한 미래 때문에 지금을 망치지 마세요. 오늘을 살아가세요. 눈이 부시게!"

2005년 제26회 청룡영화상 남우주연상 수상

황정민

"솔직히 저는 항상 사람들에게 그래요. 저는 그냥 배우일 뿐이라고.
왜냐하면 육십 명 넘는 스태프들과 배우들이 멋진 밥상을 차려 놔요. 그러면 저는 그냥 맛있게 먹기만 하면 되는 거거든요. 그런데 이렇게 관심은 제가 다 받아요. 그게 죄송스러워요."

부록

듣기 지문

4B

01 뭐든지 적극적인 데다가 유머 감각도 있어요

듣고 쓰기 | 1번 | 10쪽

다음 대화를 잘 듣고 질문에 답하십시오.

민호: 너는 친구랑 같이 살지?

진호: 응. 나는 고등학교 친구하고 같이 살고 있어. 벌써 5년째야.

민호: 친구하고 같이 살다 보면 성격이 안 맞아서 다투는 경우도 많다던데 너는 어때?

진호: 나도 처음에는 성격이 좀 안 맞아서 힘들었는데 지금은 괜찮아.

민호: 어떤 점이 힘들었는데?

진호: 음. 예를 들어서 나는 성격이 좀 느긋한 편이고 내 친구는 좀 급한 편이거든. 그래서 청소나 설거지를 나는 좀 천천히 미뤘다가 하는데 걔는 빨리빨리 해야 한다고 잔소리를 많이 해서 몇 번 다투기도 했어.

민호: 그렇게 성격이 다른데도 5년이나 같이 살았어?

진호: 그래도 우리는 고등학교 때부터 서로를 너무나 잘 알기 때문에 금방 화해하고 또 서로 이해하면서 지내고 있어.

02 처음 만났을 때는 얌전한 성격인 줄 알았거든

듣고 말하기 | 1번 | 15쪽

다음 방송을 잘 듣고 질문에 답하십시오.

아나운서: 시청자 여러분 안녕하십니까? 오늘은 오랫동안 회사에서 신입 사원 면접을 담당한 한국자동차 송경아 부장님을 모시고 면접에서 좋은 인상을 주기 위해 주의해야 할 것에 대해서 들어 보겠습니다. 부장님 안녕하세요?

송경아: 안녕하세요? 한국자동차 송경아입니다.

아나운서: 최근 취업에서 면접의 중요성이 커지고 있습니다. 그래서 자연스럽게 첫인상을 중요하게 생각하고 있는데, 취업을 준비하는 사람들이 면접에서 주의해야 할 것이 있을까요?

송경아: 네. 먼저 표정입니다. 면접을 볼 때 대부분의 사람들이 긴장을 해서 그런지 어두운 표정을 하고 있습니다. 표정이 어두우면 좋은 첫인상을 남길 수가 없으니 될 수 있는 한 활짝 웃으려고 노력하는 것이 좋습니다. 두 번째는 걸음입니다. 면접장으로 들어올 때 어떤 사람들은 허리를 숙이거나 팔을 흔들면서 걸어옵니다. 면접장에서는 바른 자세로 자신감 있게 걸어와야 합니다. 마지막으로 옷입니다. 평소에 입던 개성 있는 옷보다 장소에 어울리는 옷이 중요합니다. 특히 면접을 볼 때에는 회사의 성격에 어울리는 옷을 입어야 합니다.

아나운서: 좋은 말씀 감사합니다.

03 사업을 시작할까 아니면 회사에 취직할까 고민이야

듣고 쓰기 | 1번 | 21쪽

다음 라디오 방송을 잘 듣고 질문에 답하십시오.

신영: 〈신영이와 함께〉, 오늘의 고민 사연 시간입니다. 오늘은 성덕동에 사는 28살 여성 유리 씨가 사연을 주셨어요. 아마 결혼을 생각하는 분들이라면 누구나 해 봤을 만한 고민인 것 같은데요. 그럼 사연을 읽어 볼게요. 요새 저와 남자 친구는 결혼에 대해서 얘기하고 있어요. 그런데 제 생각에 남자 친구와 저는 생각이나 성격이 많이 다른 것 같아요. 저는 여행을 갈 때에도 산이나 바다에 가서 자연을 보는 것을 좋아하는데, 남자 친구는 도시나 유적지를 보는 것을 좋아해요. 그리고 저는 조용히 혼자 있는 것을 좋아하는데 남자 친구는 밖에서 친구 만나는 것을 좋아하고요. 이렇게 우리는 서로 많이 달라요. 이렇게 다른데 결혼해서 잘 살 수 있을까, 혹시 관계가 나빠지지는 않을까 고민이 많이 되네요. 신영 오빠는 어떻게 생각하시는지, 오빠의 경험은 어떤지 들려주실 수 있을까요?

04 그때 그 꿈을 포기하지 말았어야 했는데

듣고 읽기 | 1번 | 27쪽

다음 대화를 잘 듣고 질문에 답하십시오.

해리: 유진. 이번 말하기 대회에서 2등상 받은 거 축하해.

유진: 고마워. 근데 마지막에 실수를 해서 좀 아쉬워. 끝까지 침착하게 말했어야 했는데 너무 긴장했었나 봐.

해리: 무슨 실수를 했어? 나는 전혀 모르겠던데.

유진: 마지막 부분에서 준비했던 문장을 하나 빼놓고 말했어. 순간적으로 머릿속이 하얘지더라고. 그래서 말도 좀 더듬었어. 이렇게 떨릴 줄 알았으면 더 열심히 연습할걸 그랬어.

해리: 그랬구나. 앞에서 바라보는 사람들이 그렇게 많은데 긴장되는 게 당연하지. 그래도 내가 보기에는 아주 여유 있어 보이던데.

유진: 사실 속으로 엄청 떨었어. 그래도 이제 끝나서 속이 시원해.

05 40대는 청소년들에 비해서 결혼을 해야 한다는 응답이 많았습니다

듣고 말하기	1번	33쪽

다음 대화를 잘 듣고 질문에 답하십시오.

마리: 유진, 너는 여름에 반바지를 입고 회사에 출근하는 것에 대해 어떻게 생각해?

유진: 음, 글쎄. 회사에 반바지를 입고 출근한다? 좀 이상할 것 같은데? 그런데 왜?

마리: 요즘 우리 회사에서 이 문제 때문에 좀 얘기를 하고 있거든. 젊은 사람들은 회사에서도 반바지를 입을 수 있으면 좋겠다고 하는데, 나이가 있는 분들은 그걸 반대하고 있어.

유진: 음, 나는 그런 점에 대해서는 다른 사람들에 비해서 좀 보수적인 편이야. 아무리 더워도 회사는 일을 하는 곳인데, 놀러 갈 때 입는 반바지를 입고 회사에 가는 것은 좀 아닌 것 같아. 출근할 때에는 회사에 맞는 옷을 입어야지. 마리, 네 생각은 어떤데?

마리: 나는 회사에서 반바지를 입든 긴바지를 입든 상관없는 것 같아. 시원하게 입고 일을 하면 일도 더 잘 되잖아. 그리고 에어컨을 켜는 전기도 아낄 수 있고.

06 식당에서 직원을 어떻게 부르는지 알아요?

듣고 말하기	1번	39쪽

다음 대화를 잘 듣고 질문에 답하십시오.

안나: 메이 씨, 메이라는 이름이 본명이 아니라면서요? 어제 다른 친구한테 듣고 깜짝 놀랐어요.

메이: 네, 본명은 따로 있어요. 메이는 주변 사람들이 그냥 평소에 부르는 이름이에요.

안나: 그렇구나. 저는 선생님도 메이라고 불러서 그게 본명인 줄 알았어요.

메이: 태국 사람들은 대부분 저처럼 평소에 부르는 이름이 하나 더 있어요. 왜 그런지 알아요?

안나: 글쎄요. 무슨 특별한 의미가 있어요?

메이: 부르기 쉬운 이름을 하나 더 만드는 거예요. 본명은 대부분 좀 길고 발음하기도 어려운 편이거든요. 그래서 짧고 발음하기 편한 이름을 만들어서 평소에 부르는 거죠.

안나: 그럼 메이라는 이름은 메이 씨가 직접 지었어요?

메이: 아니에요. 이것도 부모님이 지어 주셨어요. 어렸을 때부터 부모님이나 주변 사람들이 다 메이라고 불러서 저도 이 이름이 훨씬 익숙해요. 본명은 자주 사용하지 않으니까 좀 어색해요.

07 저는 하늘길을 관리하는 일을 합니다

듣고 읽기	1번	45쪽

다음 대화를 잘 듣고 질문에 답하십시오.

안나: 민수 씨는 지금 회사에 다니고 있지요?

민수: 네. 저는 운동복을 만드는 회사에 다니고 있어요.

안나: 와, 그래요? 혹시 회사에서 어떤 일을 하고 있는지 물어봐도 돼요?

민수: 네. 저는 지금 홍보팀에서 일하고 있어요. 저희 제품을 사람들한테 알리는 일을 해요.

안나: 회사 수익을 늘리는 데에 아주 중요한 일을 맡고 있네요. 일이 힘들지는 않아요?

민수: 처음에는 홍보 방향을 잘 못 잡아서 고생할 때도 있었는데, 이제는 경험이 쌓이다 보니 어떻게 하면 효과적으로 홍보할 수 있는지도 알게 되고, 일하는 재미도 커지더라고요. 얼마 전에 제가 홍보한 제품이 큰 인기를 끌어서 요즘은 정말 즐겁게 일하고 있어요.

08 삶에 대한 가르침을 줬다는 점에서 존경을 받습니다

듣고 말하기	1번	51쪽

다음 대화를 잘 듣고 질문에 답하십시오.

선생님: 이곳은 우리 나라가 만들어진 지 천 년이 된 것을 기념해서 만든 광장이에요.

남학생: 와, 동상이 많네요. 이분들은 누구예요?

선생님: 가운데 있는 분이 우리 나라의 첫 번째 왕이에요. 우리 나라 사람들은 그분을 '나라의 아버지'라고 불러요. 그리고 그 사람의 오른쪽에 있는 분도 왕인데요, 그분이 왕일 때 우리 나라가 가장 넓은 땅을 가지고 있었고, 또 가장 강한 힘을 가지고 있었어요. 왼쪽에 있는 분은 우리 나라가 다른 나라와 전쟁을 했을 때 나라를 위기에서 구하고 많은 사람들의 생명을 구한 장군이에요. 다른 동상들도 모두 우리 나라 역사에서 중요한 역할을 한 왕과 영웅들이에요. 나라를 위해 훌륭한 일을 하고 사람들을 보호했다는 점에서 사람들의 존경을 받는 인물들이죠.

09 갈수록 현금을 사용하는 사람들이 줄어들고 있습니다

듣고 쓰기	1번	57쪽

다음 강연을 잘 듣고 질문에 답하십시오.

진행자: '이웃사촌'이라는 말 들어보셨나요? 이웃과 사촌을 합친 말로, 옆집에 사는 이웃을 사촌처럼 가깝고 소중한 가족으로 생각한다는 의미의 말입니다. 그러나 최근에는 이러한 이웃사촌이라는 말이 더 이상 어울리지 않는 것 같습니다.

전국의 성인 남녀 1,000명을 대상으로 설문 조사를 한 결과가 나왔습니다. "옆집에 대해 잘 압니까?"라는 질문에 '잘 안다'고 답한 사람은 8.5%밖에 되지 않았고, '알지만 잘은 모른다'고 답한 사람은 51.7%였습니다. 그리고 옆집에 사는 사람을 '모른다'고 답한 사람도 39.8%로 나타났습니다.

"이웃과 고민거리를 나눌 수 있습니까?"라는 질문에 대해서도 그렇다고 답한 사람이 크게 감소했습니다. 2001년에는 이 질문에 '그렇다'고 답한 사람이 31%였으나, 올해에는 3%로 크게 줄어들었습니다. 이렇게 예전에 비해 이웃과의 관계가 많이 멀어졌다는 것을 알 수 있습니다.

10 저는 인터넷에서 실명을 써야 한다고 생각해요

듣고 말하기 | 1번 | 63쪽

다음 토론을 잘 듣고 질문에 답하십시오.

선생님: 요즘 일회용품 사용 문제가 심각한데요. 그래서 기업에서 제품을 포장할 때 비닐이나 플라스틱을 사용할 수 없도록 한다고 합니다. 이것에 대해서 여러분은 어떻게 생각하시나요?

여학생: 저는 이 제도에 대해서 반대합니다. 비닐이나 플라스틱을 사용하지 않으면 비싼 친환경 포장지를 사용할 수밖에 없잖아요. 그러면 포장 비용이 많이 들어서 제품 가격이 올라가는 거 아닐까 합니다.

남학생: 저는 비용이 조금 들더라도 꼭 필요한 제도라고 생각합니다. 환경 문제는 개인의 노력만으로는 큰 효과를 보기 어렵기 때문에 기업의 역할이 중요하다고 생각합니다. 그래서 저는 이 제도에 찬성합니다.

선생님: 두 사람 의견 잘 들었습니다. 그럼 다른 학생의 의견도 들어볼까요?

11 10년 후엔 행복한 가정을 이루고 있지 않을까 싶어요

듣고 읽기 | 1번 | 69쪽

다음 대화를 잘 듣고 질문에 답하십시오.

안나: 진 씨, 창업 축하해요. 이제 정말 한식 레스토랑 사장님이 되었네요.

진: 고마워요. 다 안나 씨 덕분이에요. 안나 씨의 응원이 없었다면 도전할 수 없었을 거예요.

안나: 아니에요. 제가 뭘 한 게 있다고요. 근데 앞으로 정말 바빠지겠어요. 가게가 안정될 때까지는 마음 편히 쉬지도 못하겠어요.

진: 아무래도 당분간은 그러지 않을까 싶어요.

안나: 이제 다음 목표는 뭐예요?

진: 이 식당이 잘 되면 다른 지역에도 가게를 열 생각이에요. 서두르기보다는 먼저 이 가게를 성공시킨 후에 천천히 늘리려고 해요.

12 벌써 졸업을 한다니! 믿기지가 않습니다

읽고 듣기 | 2번 | 75쪽

다음 대화를 잘 듣고 질문에 답하십시오.

진: 해리 씨, 일주일 동안 봉사 활동을 하고 왔다고 들었어요.

해리: 네. 폭우 때문에 피해를 입은 마을에 가서 일을 좀 돕고 왔어요.

진: 어휴, 고생 많았겠네요.

해리: 몸은 고생을 좀 했지만 그래도 가기를 잘했다는 생각이 들어요. 처음에 그 마을에 갔을 때에는 폭우 때문에 집들이 모두 엉망이었거든요. '이곳이 마을이었다니!' 하는 생각이 들 정도였어요. 그래도 일주일 동안 열심히 도우니까 마을이 어느 정도 예전 모습으로 돌아오더라고요. 그 모습을 보니까 정말 뿌듯하더라고요.

모범 답안 4B

01 뭐든지 적극적인 데다가 유머 감각도 있어요

문법 | 1번 | 6쪽

2) 이야기가 재미있는 데다가 배우들의 연기까지 훌륭해서 좋았어요.
3) 매일 조깅을 하는 데다가 주말마다 등산도 하니까 몸이 정말 건강해졌어요.
4) 늦잠을 잔 데다가 버스까지 놓쳐서 지각을 하고 말았어요.
5) 아이가 우는 데다가 밖에서 공사까지 해서 너무 시끄러워요.

문법 | 2번 | 6쪽

1) 성격이 활발한 데다가 배려심이 많아서
2) 집값이 저렴한 데다가 교통이 편리해서
3) 디자인이 세련된 데다가 편리한 기능이 많아서
4) 열이 많이 나는 데다가 두통이 심해서

대화 속 문법 | 1번 | 7쪽

1) 여기에서 이야기를 하든지 다른 곳으로 옮겨서 얘기하든지 상관없어요
2) 이번 휴가 때 여행을 가든지 집에서 쉬든지 상관없어요
3) 이 내용을 회원들에게 이메일로 알리든지 문자로 보내든지 다 괜찮아요
4) 서류를 낼 때 직접 방문하든지 우편으로 보내든지 다 괜찮아요
5) 여기에 소고기를 넣든지 돼지고기를 넣든지 상관없어요

대화 속 문법 | 2번 | 7쪽

1) 그 사람이 누구를 만나든지 나와 관계없다
2) 어디에서 일하든지 인터넷으로 소통이 되는 시대이다
3) 일기를 쓰든지 음악을 듣든지 저녁에 자기만의 시간을 갖는다
4) 드라마를 보든지 라디오를 듣든지 한국어를 많이 들으면 실력이 좋아진다

대화 속 문법 | 3번 | 7쪽

1) 어디든지 2) 가든지
3) 하든지 4) 생기든지

어휘와 표현 | 1번 | 8쪽

1) 그 사람은 유머 감각이 있어요
2) 그 사람은 성격이 느긋해요
3) 그 사람은 성격이 소극적이에요
4) 그 사람은 책임감이 없어요

어휘와 표현 | 2번 | 8쪽

1) 책임감 2) 자신감
3) 유머 감각 4) 불성실해

읽고 말하기 | 1번 | 9쪽

3)

색	특징
노란색을 선택한 사람	긍정적임. 분명한 것을 좋아하는 지적인 성격임.
빨간색을 선택한 사람	외향적임. 자신감 있고 적극적이며 도전하는 것을 좋아함.
파란색을 선택한 사람	깊이 생각하고 결정하는 이성적인 성격임.
검정색을 선택한 사람	창의력이 풍부함. 내성적인 성격임.
하얀색을 선택한 사람	성실하고 책임감 있음. 다른 사람을 먼저 생각하고 이해하려고 함.

듣고 쓰기 | 1번 | 10쪽

1) 진호 씨는 느긋한 성격이고 진호 씨의 친구는 급한 성격이다.
2) ③

02 처음 만났을 때는 얌전한 성격인 줄 알았거든

문법 | 1번 | 12쪽

1) 매울 줄 알았어요 2) 오는 줄 알았어요
3) 차가운 줄 알았어요. 4) 온 줄 알았는데

문법 | 2번 | 12쪽

1) 나는 다음 주에 중요한 회의가 있는 줄 몰랐다. 회의가 없는 줄 알았다
2) 나는 맵지 않은 한국 음식이 있는 줄 몰랐다. 모두 매운 줄 알았다
3) 나는 안나 씨가 결혼하지 않은 줄 몰랐다. 결혼한 줄 알았다
4) 나는 빨간색 옷이 잘 어울릴 줄 몰랐다. 안 어울릴 줄 알았다

대화 속 문법 | 1번 | 13쪽

1) 읽던 2) 먹던
3) 마시던 4) 살던

대화 속 문법 | 2번 | 13쪽

1) 친구가 많던 2) 표정이 어둡던
3) 공부를 열심히 하던 4) 노래를 잘 부르던

어휘와 표현 | 1번 | 14쪽

1) 그는 처음 만나는 사람들 앞에서 낯을 가리나 봐요.
2) 여러 사람과 인사하는 것을 보니 그녀는 사교적인 성격인가 봐요.
3) 그의 날카로운 표정을 보니 무서운 성격인 것 같아요.

어휘와 표현 | 2번 | 14쪽

1) 표정이 밝아서 2) 고집이 세서
3) 자신감이 넘치는 4) 낯을 가리지 않는

듣고 말하기 | 1번 | 15쪽

1) ③
2)

표정	활짝 웃는 표정
걸음	바른 자세로 자신감 있게 걷는다.
옷차림	면접을 보는 회사의 성격에 어울리는 옷

읽고 쓰기 | 1번 | 16쪽

1) ④ 2) ③

03 사업을 시작할까 아니면 회사에 취직할까 고민이야

문법 | 1번 | 18쪽

2) 숙제를 지금 할까 오늘은 놀고 내일 할까 생각하고 있어요.
3) 이 회사를 선택할까 저 회사를 선택할까 잘 모르겠어요.
4) 여기에서 계속 살까 다른 집으로 이사 갈까 고민하고 있어요.
5) 이 사람과 결혼을 할까 말까 고민이 돼요.

문법 | 2번 | 18쪽

1) 지금 아침 겸 점심을 먹을까 이따가 점심을 먹을까 생각을 해 봐야겠어요
2) 내가 아는 빠른 길로 갈까 내비게이션을 따라서 갈까 생각을 해 봐야겠어요
3) 회사에서 가깝지만 작은 집으로 갈까 회사에서 멀지만 넓은 집으로 갈까 고민을 하고 있어요
4) 휴가를 조금씩 자주 쓸까 휴가를 한번에 길게 쓸까 생각을 해 봐야겠어요

대화 속 문법 | 1번 | 19쪽

2) 가: 용돈을 너무 많이 쓰는 것 같아서 고민이에요.
나: 그러면 어디에 돈을 쓰는지를 매일 적어 보지 그래요?
3) 가: 어떤 일을 할지 잘 모르겠어서 고민이에요.
나: 그러면 직업 상담을 받아 보지 그래요?
4) 가: 한국어 실력이 좋아지지 않아서 고민이에요.
나: 그러면 드라마나 영화로 공부해 보지 그래요?
5) 가: 부모님하고 의견이 너무 달라서 고민이에요.
나: 부모님과 대화를 많이 해 보지 그래요?

대화 속 문법 | 2번 | 19쪽

[예시]
1) 대화를 충분히 나눠 보지 그래요
2) 지도 교수님께 고민을 이야기해 보지 그래요
3) 건강 검진을 받아 보지 그래요
4) 진로 적성 검사를 받아 보지 그래요

어휘와 표현 | 1번 | 20쪽

일/직업	공부	돈	사람
진로를 정하지 못하다 업무량이 너무 많다 미래가 불안하다 직장 생활이 맞지 않다	실력이 늘지 않다	경제적인 상황이 좋지 않다	연애를 하고 싶다 인간관계가 어렵다

어휘와 표현 | 2번 | 20쪽

1) 업무량이 너무 많아요
2) 경제적인 상황이 좋지 않아서
3) 미래가 불안할
4) 인간관계는, 어려워요

듣고 쓰기 | 1번 | 21쪽

1) 신영이와 함께, 결혼
2) ①

읽고 말하기 | 1번 | 22쪽

1) 대학생 1,000명을 대상으로 대학생들의 고민거리를 조사했다.
2)
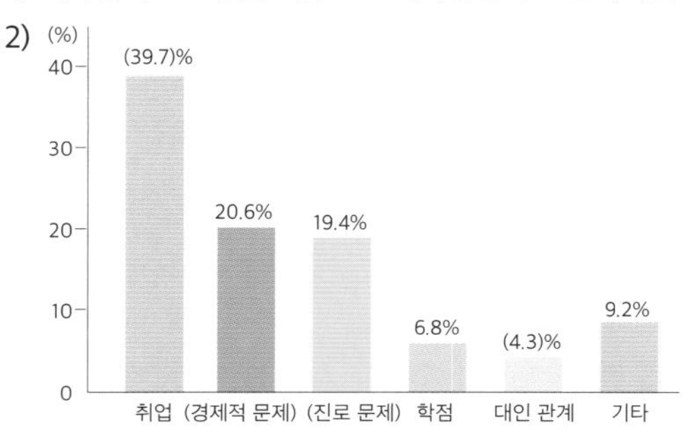

04 그때 그 꿈을 포기하지 말았어야 했는데

문법 | 1번 | 24쪽

1) 놀았어야 했는데
2) 했어야 했는데
3) 공부했어야 했는데
4) 옮겼어야 했는데
5) 준비했어야 했는데

문법 | 2번 | 24쪽

1) 과속을 하지 말았어야(않았어야) 했는데…
2) 일찍 일어났어야 했는데…
3) 일기예보를 확인했어야 했는데…
4) 식당을 미리 예약했어야 했는데…
5) 늦게까지 드라마를 보지 말았어야 했는데…

대화 속 문법 | 1번 | 25쪽

1) 내가 좀 참았으면 친구와 싸우지 않았을 텐데.
2) 그 사람이 방해하지 않았으면 벌써 성공했을 텐데.
3) 사람들에게 물었으면 호텔을 빨리 찾았을 텐데.
4) 친구들의 도움을 받았으면 과제를 잘 끝냈을 텐데.
5) 그때 너와 헤어지지 않았으면 우린 지금 결혼했을 텐데.

대화 속 문법 | 2번 | 25쪽

1) 잘 찾아보면 찾을 수 있었을 텐데 꼼꼼히 살펴보지 않았어요
2) 내가 먼저 전화했으면 쉽게 화해했을 텐데 그렇게 하지 못했어요
3) 내가 실수를 안 했으면 우리 팀이 우승했을 텐데 실수해서 아쉬워요
4) 필요한 물건만 사면 돈이 남았을 텐데 쇼핑을 너무 많이 했어요
5) 빨리 걸었으면 일찍 도착했을 텐데 너무 천천히 걸었어요

어휘와 표현 | 1번 | 26쪽

2) 다른 사람의 시선을 너무 신경 쓴 게 후회돼요
3) 너무 쉽게 포기한 게 후회돼요
4) 그때 기회를 놓친 게 후회돼요

어휘와 표현 | 2번 | 26쪽

1) 신중하게
2) 참고
3) 놓쳤어요
4) 신경 쓰지

듣고 읽기 | 1번 | 27쪽

1) 2등상을 받았다.
2) 더 열심히 연습하지 않은 것

듣고 읽기 | 2번 | 27쪽

1) 다양한 분야에서 활동하는 전문가들이 자신이 후회하는 일에 대해서 솔직하게 이야기하는 내용, 후회하는 일을 돌이키기 위해서 한 노력

2) ②

05 40대는 청소년들에 비해서 결혼을 해야 한다는 응답이 많았습니다

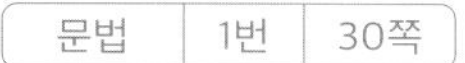

문법 | 1번 | 30쪽

1) 한국의 겨울 날씨는 몽골의 겨울 날씨에 비해서 따뜻해요
2) 쓰기 시험은 읽기 시험에 비해서 성적이 나빠요
3) 떡볶이는 김치찌개에 비해서 맵지 않아요
4) 도시는 시골에 비해서 젊은 사람이 많이 살아요

문법 | 2번 | 30쪽

1) 월급에 비해서　　2) 나이에 비해서
3) 노력에 비해서　　4) 집값에 비해서

대화 속 문법 | 1번 | 31쪽

1) 쇼핑 그만하고 돈을 모아야지
2) 이제 그만 자야지
3) 방을 깨끗하게 청소해야지
4) 지각하지 말고 일찍 출근해야지요

대화 속 문법 | 2번 | 31쪽

1) 합격해야지　　2) 투표해야지
3) 조심해야지　　4) 도와야지
5) 남겨 놓아야지

어휘와 표현 | 1번 | 32쪽

2) 아동기는 학교에 입학해서 관계를 맺기 시작하는 시기예요.
3) 청년기는 취업, 결혼 등으로 고민이 많은 시기예요.
4) 신세대는 이전 세대와 구별되는 새로 등장한 젊은 집단이에요.
5) 구세대는 나이가 많으며 이전의 생각을 계속 가지고 있는 집단이에요.

어휘와 표현 | 2번 | 32쪽

1) 개혁적인　　2) 사춘기
3) 노인이　　4) 청년
5) 보수적인

듣고 말하기 | 1번 | 33쪽

1) 반바지를 입고 회사에 출근하는 것에 대한 생각
2) ②

읽고 쓰기 | 1번 | 34쪽

1) ③　　2) ②

06 식당에서 직원을 어떻게 부르는지 알아요?

문법 | 1번 | 36쪽

1) 왜 안 오는지 알아요
2) 무슨 음식을 좋아하는지 알아요
3) 어떤 영화에 출연하는지 알아요
4) 몇 시간 걸리는지 알아요
5) 얼마나 더운지 알아요

문법 | 2번 | 36쪽

2) 가: 오늘 서울의 날씨가 더운지 안 더운지 알아요?
   나: 네. 알아요. 오늘 서울의 날씨는 아주 더워요. /
   아니요. 오늘 서울의 날씨가 어떤지 몰라요.
3) 가: 버스에 탈 때 음료수를 들고 타도 되는지 안 되는지 알아요?
   나: 네. 알아요. 버스에 탈 때 음료수를 들고 타면 안 돼요. /
   아니요. 버스에 탈 때 음료수를 들고 타도 되는지 안 되는지 몰라요.
4) 가: 그 물건이 마트에 있는지 없는지 알아요?
   나: 네. 알아요. 그 물건이 마트에 있어요. /
   아니요. 그 물건이 마트에 있는지 없는지 몰라요.
5) 가: 지금 밖에 비가 오는지 안 오는지 알아요?
   나: 네. 알아요. 지금 밖에 비가 와요. /
   아니요. 지금 밖에 비가 오는지 안 오는지 몰라요.

대화 속 문법 | 1번 | 37쪽

1) 승기 씨가 원래 가수라면서요
2) 한국 사람들은 매일 김치를 먹는다면서요
3) 주노 씨가 한국 음식을 아주 잘 만든다면서요
4) 우리 학교에 유명한 연예인이 입학한다면서요
5) 한국에서는 전세로 집을 빌리는 제도가 있다면서요

대화 속 문법 | 2번 | 37쪽

1) 사귄다면서요　　2) 합격했다면서요
3) 다녀온다면서요　　4) 취소됐다면서요
5) 승진했다면서요

어휘와 표현 | 1번 | 38쪽

[예시]
1) 한국에서는 웃어른을 존경해요. 그래서 웃어른에게 고개를 숙여서 인사해요.
2) 한국어에는 가족을 부르는 말이 다양해요. 형제자매를 부르는 말도 언니, 오빠, 누나, 형, 여동생, 남동생 등 여러 가지가 있어요.
3) 한국 사람들은 '나'보다 '우리'를 중요하게 생각해요. 그래서 '우리'라는 말을 자주 사용해요.

어휘와 표현 | 2번 | 38쪽

1) 벗고　　2) 사투리가

3) 소리를 나타내는　　4) 존경한다
5) 정이 많다

듣고 말하기 | 1번 | 39쪽

1) 본명이 대부분 좀 길고 발음하기 어려워서
2) ① ×　② ○　③ ×

읽고 쓰기 | 2번 | 40쪽

1) 술잔에 술을 언제 따라 주는지와, 건배하는 방법 등에서 문화 차이를 경험했다.
2) 술잔으로 식탁을 두드린다.

07 저는 하늘길을 관리하는 일을 합니다

문법 | 1번 | 42쪽

2) 차를 고치는 데에 돈이 많이 듭니다.
3) 비행기 표를 예약하는 데에 여권 번호가 필요합니다.
4) 요즘은 영상을 찍는 데에 시간을 많이 씁니다.
5) 이 책은 사람의 마음을 이해하는 데에 도움을 주는 책입니다.

문법 | 2번 | 42쪽

1) 상을 받는 데에 누구의 도움이 가장 컸습니까
2) 말하기 대회를 준비하는 데에 얼마나 걸렸어요
3) 한국을 여행하는 데에 돈이 많이 들었어요
4) 김치찌개를 만드는 데에 뭐가 필요해요

대화 속 문법 | 1번 | 43쪽

2) 매일 글을 쓰다 보니 책을 낼 수 있는 정도가 되었어요.
3) 신나게 웃고 떠들다 보니 스트레스가 다 풀렸어요.
4) 신선한 음식을 챙겨 먹다 보니 건강이 좋아졌어요.
5) 역사에 관심을 갖고 공부하다 보니 유적지를 많이 알게 되었어요.

대화 속 문법 | 2번 | 43쪽

1) 읽다 보니　2) 만들다 보니
3) 듣다 보니　4) 살다 보니

어휘와 표현 | 1번 | 44쪽

기술	품질
기술을 개발하다, 기술을 연구하다	품질을 관리하다, 품질을 검사하다, 품질을 분석하다
정보	문제
정보를 분석하다, 정보를 제공하다	문제를 연구하다, 문제를 해결하다

어휘와 표현 | 2번 | 44쪽

2) 디자이너는 새로운 디자인을 창조하는 일을 합니다.
3) 광고 전문가는 상품이나 기업, 기관 등을 홍보하는 일을 합니다.
4) 기후 전문가는 기후 변화를 분석하고 연구하는 일을 합니다.
5) 면세점 직원은 면세점 손님들에게 서비스를 제공하는 일을 합니다.

듣고 읽기 | 1번 | 45쪽

1) 운동복을 만드는 회사에 다니고 있고 홍보팀에서 제품을 사람들한테 알리는 일을 한다.
2) ① ×　② ○

듣고 읽기 | 2번 | 45쪽

1) 사람처럼 스스로 생각하고 행동하는 능력을 가진 컴퓨터 기술
2) 인공 지능 기술을 개발하여 인류의 발전을 이끄는 일
3) 컴퓨터 관련 전문 지식을 쌓고, 사람들의 마음과 행동을 분석하고 창의적으로 생각하는 능력을 갖추어야 한다.

08 삶에 대한 가르침을 줬다는 점에서 존경을 받습니다

문법 | 1번 | 48쪽

2) 이번 연극은 관객들이 직접 연극에 출연한다는 점에서 새로워요.
3) 이번 미술 전시회는 세계적인 화가의 작품을 전시한다는 점에서 주목받고 있어요.
4) 인터넷은 필요한 정보를 쉽게 검색할 수 있다는 점에서 편리해요.
5) 그 영화는 영화 속 시간이 거꾸로 흐른다는 점에서 특별해요.

문법 | 2번 | 48쪽

2) 두 사람은 만화책을 좋아한다는 점에서 서로 비슷하다.
3) 이번 결정은 회사 이미지에 도움이 된다는 점에서 좋은 평가를 받는다.
4) 고양이는 혼자 있는 것을 좋아한다는 점에서 개와 다르다.
5) 이번 발견은 세계 최초라는 점에서 사람들의 관심을 받는다.

대화 속 문법 | 1번 | 49쪽

2) 오랫동안 치료를 받은 결과 병이 다 나았어요.
3) 선수들이 최선을 다한 결과 경기에서 이길 수 있었어요.
4) 제품 홍보를 열심히 한 결과 제품 판매량이 늘었어요.
5) 두 달 동안 아르바이트를 해서 돈을 모은 결과 전기 자전거를 살 수 있었어요.

대화 속 문법 | 2번 | 49쪽

[예시]
1) 아침 일찍 일어나서 청소를 한 결과 집안이 깨끗해졌다
2) 시험 전날까지 게임을 한 결과 시험에 떨어졌다
3) 일주일 동안 매일 밤 라면을 먹고 잔 결과 몸무게가 3kg이나 늘었다

4) 포기하지 않고 끝까지 노력한 결과 성공할 수 있었다

2) 사진작가는 훌륭한 예술 작품을 남길 수 있어요.
3) 발명가는 새로운 물건을 발명할 수 있어요.
4) 운동선수는 인간의 한계에 도전해요.
5) 제약 회사에서 백신을 개발해요.

어휘와 표현 | 2번 | 50쪽

1) 평화가　　2) 기여하였다
3) 실천하는　　4) 위기를
5) 남기고

듣고 말하기 | 1번 | 51쪽

1) (말하는 사람의) 나라가 만들어진 지 천 년이 된 것
2) (말하는 사람의) 나라의 첫 번째 왕
3) ① ×　　② ○

읽고 쓰기 | 1번 | 52쪽

1) 세 개　　2) 인류의 미래를 위한 도전
3) 끊임없이 도전하여 의미 있는 결과를 만들어 냈다는 점

09 갈수록 현금을 사용하는 사람들이 줄어들고 있습니다

문법 | 1번 | 54쪽

1) 익을수록　　2) 클수록
3) 배울수록　　4) 많을수록

문법 | 2번 | 54쪽

2) 집값이 오를수록 시민들의 생활이 어려워져요.
3) 과학 기술이 발달할수록 인간의 삶이 편리해져요.
4) 태풍이 가까이 올수록 바람이 강하게 불어요.
5) 일회용품 사용이 늘어날수록 쓰레기 처리 문제가 심각해져요.

문법 | 3번 | 55쪽

1) 지하철역과 가까울수록 집값이 비쌉니다.
2) 운동하는 시간이 많을수록 평균 수명이 길어집니다.

대화 속 문법 | 1번 | 55쪽

1) 지났으나　　2) 공부했으나
3) 부르나　　4) 작으나
5) 되었으나

대화 속 문법 | 2번 | 55쪽

2) 예전에는 경제가 어려웠으나 지금은 경제가 크게 발전했다.
3) 태풍이 지나갔으나 피해는 크지 않았다.
4) 노인 인구는 증가했으나 청년 인구는 줄어들었다.
5) 문학을 전공했으나 아직도 문학에 대해 잘 모른다.

대화 속 문법 | 3번 | 55쪽

[예시]
1) 짧은 치마가 인기가 많았으나
2) 깨끗했으나
3) 집에서 일찍 출발했으나
4) 과거에는 버스를 타고 출근했으나

어휘와 표현 | 1번 | 56쪽

1) 달라졌다　　2) 점점
3) 감소했다　　4) 급격히
5) 늘어났다

어휘와 표현 | 2번 | 56쪽

[예시]
1) 최근 태어나는 아이들의 수가 감소하고 있다. /
아이들의 수가 줄어들고 있다.
2) 최근 외국인 유학생이 증가하고 있다. /
외국인 유학생이 늘어나고 있다.
3) 시골의 모습이 달라졌다. / 시골이 도시로 변화했다.

듣고 쓰기 | 1번 | 57쪽

1) '이웃'과 '사촌'을 합친 말로, 옆집에 사는 이웃을 사촌처럼 가깝고 소중한 가족으로 생각한다는 의미이다.

2)

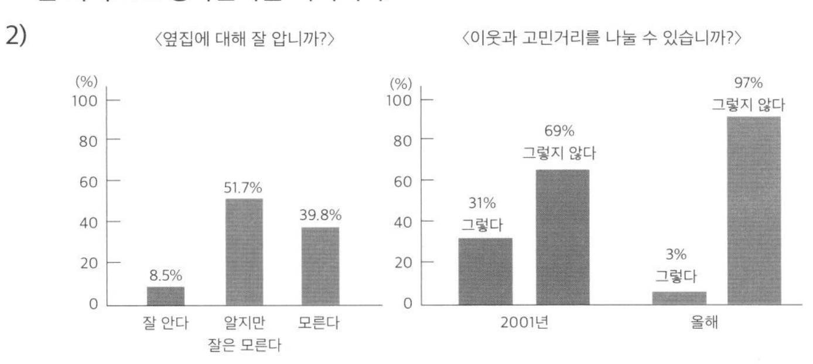

읽고 말하기 | 1번 | 58쪽

1) '온라인 동영상 서비스' 57%, '라디오' 7%, '신문' 5%

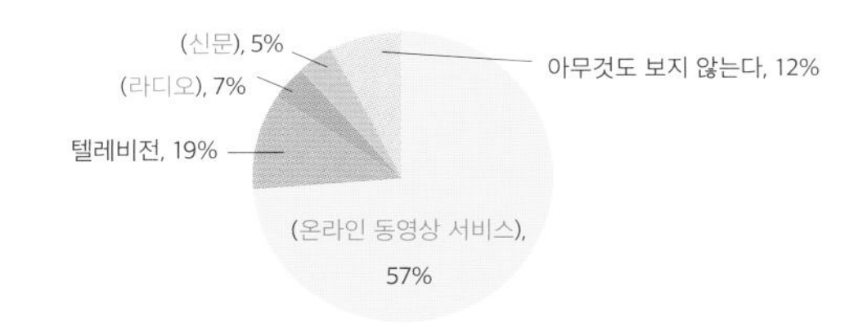

2) ① ○　　② ○　　③ ×

3) 매우 어렵다.

10 저는 인터넷에서 실명을 써야 한다고 생각해요

문법	1번	60쪽

1) 외국어를 배우는 것은 재미있다고 생각해요
2) 전주는 여행 가기 좋은 도시라고 생각해요
3) 새로 개봉한 그 영화가 볼 만하다고 생각해요
4) 구세대는 신세대보다 보수적이라고 생각해요

문법	2번	60쪽

[예시]
1) 저는 반바지를 입고 회사에 출근해도 괜찮다고 생각해요.
2) 저는 대학생 때 부모님과 함께 살면 불편하다고 생각해요.
3) 저는 늦은 시간에 공원에서 노래를 부르면 안 된다고 생각해요.

대화 속 문법	1번	61쪽

2) 꾸준히 치료를 받아서 건강이 회복된 거 아닐까 해요.
3) 커피를 많이 마셔서 밤에 잠이 안 오는 거 아닐까 해요.
4) 인터넷 광고를 열심히 해서 손님이 는 거 아닐까 해요.
5) 회사 일이 바빠서 전화를 받지 않은 거 아닐까 해요.

대화 속 문법	2번	61쪽

[예시]
1) 열심히 공부하지 않아서 시험에 떨어진 거 아닐까 해요
2) 외국어를 잘해서 회사에 취직한 거 아닐까 해요
3) 운동을 하지 않아서 건강이 나빠진 거 아닐까 해요
4) 부모님이 보고 싶어서 고향에 돌아간 거 아닐까 해요

어휘와 표현	1번	62쪽

1) 찬성했다　　2) 부작용이 생길
3) 적절한　　4) 틀리다고

어휘와 표현	2번	62쪽

2) 동의하고
3) 장점이 있다
4) 반대하고
5) 부작용이 있다

어휘와 표현	3번	62쪽

1) 찬성합니다
2) 장점이 있습니다
3) 동의하지 않습니다
4) 단점이 있습니다

듣고 말하기	1번	63쪽

1) 기업에서 제품을 포장할 때의 일회용품 사용 문제

2)

	의견	이유
여학생	기업에서 일회용품 사용을 할 수 있도록 해야 한다.	비싼 친환경 포장지를 사용하게 되고 그러면 비용이 많이 들어서 제품 가격이 올라간다.
남학생	기업에서 일회용품 사용을 할 수 없도록 해야 한다.	환경 문제는 기업의 역할이 중요하기 때문이다.

읽고 쓰기	1번	64쪽

1) ③

2)

찬성	의견: 온라인 게임은 스포츠 경기 중의 하나이다. 이유: 몸을 사용하지는 않지만 승패가 결정된다.
반대	의견: 온라인 게임은 스포츠가 아니라 놀이이다 이유: 몸을 움직이는 일반 스포츠 경기와 다르다.

11  10년 후엔 행복한 가정을 이루고 있지 않을까 싶어요

문법	1번	66쪽

2) 영어 설명이 없으면 내용을 이해하기 어렵지 않을까 싶어요.
3) 이 전시회는 주말에 가면 사람이 너무 많지 않을까 싶어요.
4) 선물에다가 편지도 같이 주면 수지 씨가 더 좋아하지 않을까 싶어요.
5) 이 일이 빨리 해결되지 않으면 오늘 야근을 해야 되지 않을까 싶어요.

문법	2번	66쪽

1) 그냥 집에서 쉬지 않을까 싶어요
2) 상을 받지 않을까 싶어
3) 기분이 상하지 않았을까 싶어
4) 많이 놀라지 않았을까 싶어요

대화 속 문법	1번	67쪽

1) 아프기보다는 창피했어요
2) 게임을 하기보다는 에스엔에스(SNS)를 많이 봐요
3) 친구들을 만나서 놀기보다는 취미 활동을 하면서 시간을 보내요
4) 인터넷에서 정보를 찾기보다는 도서관에 가서 책을 찾아보는

대화 속 문법	2번	67쪽

1) 저는 운전이 힘들기보다는 즐거워요
2) 저는 돈을 통장에 모으기보다는 주식에 투자해요
3) 저는 생일에 친구들과 파티를 하기보다는 가족들과 시간을 보낼 거예요
4) 저는 방학에 아르바이트를 하기보다는 컴퓨터 자격증을 따고 싶어요

어휘와 표현 | 1번 | 68쪽

[예시]
1) 대학에 진학했어요.
2) 가정을 이루었어요.
3) 아이를 출산했어요.
4) 아이를 길러요.

어휘와 표현 | 2번 | 68쪽

1) 독립이 2) 은퇴
3) 도전 4) 노후

듣고 읽기 | 1번 | 69쪽

1) 한식 레스토랑 운영
2) 다른 지역에도 가게를 여는 것

듣고 읽기 | 2번 | 69쪽

1) ③

12 벌써 졸업을 한다니! 믿기지가 않습니다

문법 | 1번 | 72쪽

1) 헤어지다니 / 헤어졌다니
2) 합격하다니 / 합격했다니
3) 11시라니
4) 범인이라니 / 범인이었다니

문법 | 2번 | 72쪽

1) 와! 건물이 이렇게 높다니!
2) 와! 물건이 이렇게 싸다니!
3) 와! 쇼핑할 곳이 이렇게 많다니!
4) 와! 이렇게 맛있다니!

문법 | 3번 | 72쪽

[예시]
1) 와! 이렇게 싸다니!
2) 와! 이렇게 멋있다니!
3) 와! 세상이 이렇게 발전했다니.

대화 속 문법 | 1번 | 73쪽

[예시]
1) 친구가 빨리 낫기를 바랍니다
2) 경제가 좋아지기를 바랍니다
3) 친구와 오해가 풀리기를 바랍니다
4) 사업이 잘 되기를 바랍니다

대화 속 문법 | 2번 | 73쪽

[예시]
1) 주노 씨가 행복한 결혼 생활을 하기를 바라다.
2) 유진 씨가 회사에 잘 적응하기를 바라다.
3) 안나 씨가 유학 생활을 알차게 하기를 바라다.
4) 민수 씨에게 생긴 아이가 건강하게 자라기를 바라다.

어휘와 표현 | 1번 | 74쪽

1) 아쉬워요 2) 마음이 설레요
3) 홀가분해요 4) 믿기지 않아요

읽고 듣기 | 1번 | 75쪽

1) ② 2) ④

읽고 듣기 | 2번 | 75쪽

1) 폭우 때문에 피해를 입은 마을에 가서 봉사 활동을 했습니다.
2) ③

어휘와 표현 색인

4B

자료 출처

4B

※ 이 교재는 산돌폰트 외 Ryu 고운한글돋움OTF, Ryu 고운한글바탕OTF, ONE 모바일POP 등을 사용하여 제작되었습니다. Ryu 고운한글돋움OTF, Ryu 고운한글바탕OTF 서체는 서체 디자이너 류양희 님에게서 제공 받은 서체입니다.

※ 강승희, 이재영 작가와 함께 작업했습니다.

| 게티이미지코리아 |

8과 53쪽_(상, 좌로부터)①/②/(중, 좌로부터)① 9과 59쪽_(위로부터) ① 10과 60쪽_2번 3)

| 셔터스톡 |

스피커 아이콘
말풍선
문서 아이콘
연필 아이콘
전구 아이콘
1과 6쪽; 7쪽; 8쪽; 11쪽 2과 12쪽; 13쪽; 14쪽_1번(보기), 3번; 15쪽; 17쪽 3과 18쪽; 19쪽; 20쪽; 21쪽; 22쪽; 23쪽 4과 24쪽; 25쪽; 26쪽; 27쪽; 28쪽; 29쪽 5과 30쪽; 31쪽_3번; 32쪽_3번; 33쪽 6과 36쪽; 37쪽; 38쪽; 39쪽; 41쪽 7과 42쪽; 43쪽; 44쪽; 45쪽; 47쪽 8과 48쪽; 49쪽; 50쪽_1번; 51쪽; 53쪽_(중, 좌로부터)②/(하, 좌로부터)①/② 9과 54쪽; 56쪽_2번 (보기)/2); 58쪽; 59쪽(위로부터)②/③ 10과 60쪽_2번 1)/2); 61쪽; 62쪽; 65쪽_중 11과 66쪽; 67쪽; 68쪽_3번; 71쪽 12과 73쪽_3번; 74쪽; 75쪽; 76쪽 부록 79쪽

| 기타 |

10과 65쪽_상 '경남1번가' 홈페이지(www.gyeongnam.go.kr)
12과 77쪽_1번 칸영화제 수상 소감 (영화감독 박찬욱 제공)
2번 아카데미 시상식 수상 소감 (배우 윤여정 제공)
3번 백상예술대상 수상 소감 (배우 김혜자 제공)
4번 청룡영화상 수상 소감 (배우 황정민 제공)

세종한국어 | 더하기 활동 4B

문화체육관광부
국립국어원

(07511) 서울 강서구 금낭화로 154
전화: +82 (0)2-2669-9775
전송: +82 (0)2-2669-9747
홈페이지 http://www.korean.go.kr

기획·담당	박미영	국립국어원 학예연구사
	조 은	국립국어원 학예연구사
책임 집필	이정희	경희대학교 국제교육원 교수
공동 집필	최은지	원광디지털대학교 한국어문화학과 교수
	김금숙	상지대학교 한국어문화학과 조교수
	김민경	고려대학교 교양교육원 초빙교수
	김가람	전북대학교 교과교육연구소 연구교수
집필 보조	김민아	서울대학교 국어교육과 박사수료
	김지예	고려대학교 교양교육원 강사
	정성호	경희대학교 국어국문학과 박사수료
	서유리	경희대학교 국어국문학과 박사과정

초판 1쇄 인쇄 2022년 8월 15일
초판 1쇄 발행 2022년 9월 1일
ISBN 978-89-97134-57-1 (14710)
ISBN 978-89-97134-21-2 (세트)

출판·유통 공앤박 주식회사(www.kongnpark.com)
(05116) 서울시 광진구 광나루로56길 85,
프라임센터 1518호
전화: +82 (0)2-565-1531
전송: +82 (0)2-3445-1080
전자우편: info@kongnpark.com

총괄 | 공경용
책임 편집 | 이유진, 이진덕, 여인영
편집 | 김령희, 성수정, 최은정, 함소연
아트디렉팅 | 오진경
디자인 | 이종우, 서은아, 이승희
제작 | 공일석, 최진호
IT 지원 | 손대철, 김세훈
마케팅 | Sung A. Jung, Paulina Zolta, 윤성호